FRANZ MUSSNER

THEOLOGIE DER FREIHEIT NACH PAULUS

QUAESTIONES DISPUTATAE

Herausgegeben von
KARL RAHNER UND HEINRICH SCHLIER

Theologische Redaktion
HERBERT VORGRIMLER

Internationale Verlagsschriftleitung
ROBERT SCHERER

75

THEOLOGIE DER FREIHEIT NACH PAULUS

FRANZ MUSSNER

THEOLOGIE DER FREIHEIT NACH PAULUS

HERDER
FREIBURG · BASEL · WIEN

Imprimatur. – Freiburg im Breisgau, den 4. Februar 1976
Der Generalvikar: Dr. Schlund
Freiburger Graphische Betriebe 1976
ISBN 3-451-02075-0

DEN FREUNDEN DER FREIHEIT

Vorwort

Für meinen Kommentar zum Galaterbrief (vgl. Franz Mußner, Der Galaterbrief: Herders Theologischer Kommentar zum Neuen Testament IX, Freiburg ²1974) entstand auch ein Exkurs über die paulinische Freiheitstheologie. Er fiel so umfangreich aus, daß ich mich entschlossen habe, ihn zur Entlastung des Kommentars in erweiterter Form gesondert zu publizieren. Dieser Entschluß ist auch dadurch gerechtfertigt, daß das Thema „Freiheit" eines der vieldiskutierten und vielumkämpften Themen der Gegenwart ist, nicht bloß in der Philosophie und Theologie. Die kommende Entwicklung der Welt mit ihrem „Kampf um die Erdherrschaft" (Fr. Nietzsche) wird unter dem Zeichen der Freiheit stehen. Wir wissen aber noch nicht, ob die Geschichte wirklich „Freiheitsgeschichte" sein wird, sie könnte auch „Unfreiheitsgeschichte" sein. Jedenfalls ist eine gründliche Besinnung auf das Wesen der Freiheit heute mehr denn je vonnöten. Dies gilt auch für die ökumenische Arbeit. Für die Theologie ist dabei ein Blick auf den Apostel Paulus unentbehrlich, den Verkünder der Freiheit schlechthin. Was hat er uns über „Freiheit" zu sagen? Diese Quaestio Disputata versucht darauf Antwort zu geben.

Regensburg, den 1. Februar 1976 *Franz Mußner*

Inhalt

I.
Die Ursprünge

Der programmatische Satz der paulinischen Freiheitstheologie findet sich im Galaterbrief: „Christus hat uns zur Freiheit befreit" (Gal 5,1). Dieser Satz wird uns später noch beschäftigen. Einstweilen ist es wichtig, zu sehen, aus welchen Erfahrungen heraus der Apostel zu diesem programmatischen Satz gekommen ist. Diese lassen sich noch erkennen. Unter den „biographischen" Argumenten, mit denen Paulus im Galaterbrief seine judaistischen Gegner, die „sein" Evangelium und seine Position angriffen, in die Schranken weist, findet sich auch die Erinnerung an jene hochdramatische Szene in Antiochien in Syrien, bei der Paulus dem Felsenmann Petrus „ins Angesicht widerstand" (Gal 2,11)[1]. Worum ging es? Es ging um das συνεσθίειν zwischen den judenchristlichen und heidenchristlichen Mitgliedern der Gemeinde. Dürfen Juden- und Heidenchristen „zusammen essen"? (Vgl. Gal 2,12.) In dem Verzicht auf die vorher ohne weiteres geübte Tischgemeinschaft der Judenchristen Petrus und Barnabas mit den Heidenchristen sah der Apostel ein Abweichen von der „Wahrheit des Evangeliums" (2,14). Darüber könnte man erstaunt sein. Gehört denn das „zusammen essen" nicht zu den Adiaphora des Heils? Nach jüdischer Anschauung

[1] Vgl. zur „Gegnerfrage" im Galaterbrief den Bericht bei *F. Mußner*, Der Galaterbrief (Herders Theol. Kommentar IX) (Freiburg i. Br. ²1974) 11–29. Zur Auslegungsgeschichte von Gal 2,11–14 ebd. 146–167.

nicht – der Jude ist durch das Gesetz an die Speisevorschriften gebunden; er muß „koscher" essen; er „verunreinigt" sich, wenn er am Mahl der Heiden teilnimmt[2]. Für den Christen dagegen ist das „zusammen essen" ein „Adiaphoron" geworden, das genau zusammenhängt mit seiner Befreiung durch Christus. Paulus kämpfte also, so seltsam das zunächst klingen mag, damals in Antiochien um das Jahr 50 n. Chr. herum leidenschaftlich für ein scheinbares Adiaphoron des Heils: das „zusammen essen". Er hätte dafür nicht gekämpft, wenn Petrus und Barnabas unter dem Einfluß der „Jakobusleute" dieses „zusammen essen" nicht aufgegeben hätten.

Paulus fundierte die christliche Freiheit des „zusammen essen" (der Judenchristen mit den Heidenchristen) sehr tief, wie aus dem Galaterbrief hervorgeht. Dieses „zusammen essen" war für ihn das Signalwort für das, was er unter christlicher Freiheit versteht. Die Fundierung findet der Apostel in der „Logik" des Evangeliums, wie sie sich aus der Rechtfertigung des Menschen „allein aus Glauben und allein aus Gnade" ergibt, einerseits, zum andern im Taufgeschehen.

1. Christliche Freiheit und Rechtfertigung des Menschen

Paulus berichtet in Gal 2,14–17ff, was er damals in Antiochien dem „Felsenmann" „vor allen" gesagt hat: „Wenn du, wo du doch ein Jude bist, heidnisch und nicht jüdisch lebst, wie kannst du da die Heidenchristen nötigen, nach jüdischer Art zu leben? Wir, obwohl von Geburt Juden und nicht Sünder heidnischer Herkunft – wissend jedoch, daß nicht gerechtfertigt wird ein Mensch aus Gesetzeswerken, sondern mittels Glauben an Chri-

[2] Vgl. dazu Näheres ebd. 140.

stus Jesus –, auch wir (Judenchristen) sind zum Glauben an Christus Jesus gelangt, damit wir gerechtfertigt werden aus Glauben an Christus und nicht aus Gesetzeswerken; denn aus Gesetzeswerken wird kein Fleisch gerechtfertigt werden. Wenn aber wir (Judenchristen), indem wir die Rechtfertigung in Christus suchen, befunden worden wären auch selbst als Sünder (als wir mit Heidenchristen zusammen gegessen haben), ist (dann) etwa Christus ein Diener der Sünde? Nimmermehr!..." Man darf diese „Rede" des Paulus[3] nicht von dem zuvor erzählten Zusammenstoß zwischen den beiden „Apostelfürsten" isolieren, bei dem es um das συνεσθίειν ging. Dieses „zusammen essen", bei dem faktisch die jüdischen Speisegesetze nicht mehr galten, ist nach Paulus möglich geworden durch den neuen Heilsweg des Glaubens, durch den der Heilsweg über „die Werke des Gesetzes" außer Geltung gesetzt wurde. Die Freiheit des συνεσθίειν hängt also unlösbar zusammen mit der paulinischen Rechtfertigungslehre sola fide et sola gratia, die wiederum zusammenhängt mit dem solus Christus, der nach Gal 2,21b „umsonst" für uns gestorben wäre, „wenn (immer noch) durch Gesetz die Gerechtigkeit (das Heil)" käme. Damit zeigt die paulinische Freiheitslehre bereits ihre eschatologischen Dimensionen, die sie einzig und allein gewinnt durch das eschatologische Christusereignis, nicht durch eine Reflexion über die allgemeine Natur des Menschen (wie in der Stoa).

---

[3] Zum Problem der Wiedergabe der „Rede" durch Paulus vgl. *Mußner,* Galaterbrief 167–187.

2. *Christliche Freiheit und Taufe*

In der „Rede" des Paulus an Petrus in Antiochien kommt Paulus auch auf das „Christusgeheimnis" der christlichen Existenz zu sprechen: „mit Christus bin ich gekreuzigt worden. Es lebt aber nicht mehr ich, es lebt vielmehr in mir Christus" (Gal 2,19b.20a). Würde man Paulus fragen, seit wann Christus in mir lebt, so würde seine Antwort sicher lauten: seit der Taufe. Nicht von ungefähr kommt der Apostel auf das Geheimnis der Taufe im Galaterbrief zu sprechen, nämlich in 3,26–28 (innerhalb des Großabschnittes 3,19 – 4,7, in dem es um die wahre Heilsfunktion des Gesetzes geht[4]): „Denn ihr alle seid Söhne Gottes durch den Glauben in Christus Jesus. Ihr alle nämlich, die ihr auf Christus getauft seid, habt Christus angezogen. Da gibt es nicht Jude noch Grieche, da gibt es nicht Sklave noch Freier, da gibt es nicht Mann und Weib; *denn ihr alle seid ein einziger in Christus Jesus.*" Die Sohnschaft der Glaubenden in Christus (V. 26) wird mit dem Hinweis auf die Taufe begründet (V. 27), und daraus werden dann weittragende Konsequenzen für den Status der Menschheit gezogen: Da Christus das eschatologische „Existenzmodell" für alle ist, begründet die Taufe die Einheit aller und der Glaube die Sohnschaft aller in Christus. Der Ton liegt in dem Abschnitt auf „alle": Wenn alle die gleiche Würde vor Gott haben (*alle* Glaubenden sind „Söhne Gottes"), dann gelten die der Welt so wichtigen Schranken unter den Menschen vor Gott nicht mehr[5]. Ein neuer Raum für Freiheit tut sich auf: ein Raum für Gleichheit, Brüderlichkeit und gegenseitige Liebe – und ein gleichberechtigter „Zugang" aller „zum Vater" (Eph

---

[4] Vgl. dazu ebd. 243–290.

[5] Vgl. auch *G. Delling*, Taufe und neue Existenz nach dem Neuen Testament, in: Taufe und neue Existenz (Berlin 1973) 11–20.

2,18)[6]. Die Taufe „entschränkt" und gewährt Freiheit. Die Freiheit zum „zusammen essen" aller Menschen ist möglich geworden[7]. Die Kirche ist darum ein „offenes System" und muß es sein![8]

---

[6] Als „Zugang (aller) zum Vater" interpretiert der Verfasser des Epheserbriefes die paulinische Tauftheologie und die Konsequenzen der Rechtfertigungslehre sola fide et sola gratia (vgl. dazu Eph 2,4–10); nach ihm hat Christus den Gebotenomos mit seinen Verordnungen zunichte gemacht, „damit er die zwei (den Juden und den Heiden) in sich erschaffe zu einem einzigen neuen (dem eschatologischen ‚Einheits'-)Menschen" (2,15). Vgl. dazu Näheres bei *F. Mußner*, Christus, das All und die Kirche. Studien zur Theologie des Epheserbriefes (Trier ²1968) 86f.

[7] Vgl. dazu auch *F. Mußner*, „Das Wesen des Christentums ist συνεσθίειν". Ein authentischer Kommentar, in: *J. Ratzinger/H. Rossmann* (Hrsg.), Mysterium der Gnade (Festschrift für J. Auer) (Regensburg 1975) 92–102.

[8] Vgl. *H. Schürmann*, Kirche als offenes System, in: Internationale Kathol. Zeitschrift 1 (1972) 306–323.

II.
Der programmatische Satz in Gal 5,1

Aus der programmatischen Formulierung von Gal 5,1 („Zur Freiheit hat uns Christus befreit") geht hervor, daß der Apostel Paulus Christus vor allem auch als den großen eschatologischen Befreier verstanden hat. Das Ziel der Erlösertat Christi ist die Freiheit[9]. Angesichts der Herkunft des Apostels aus dem pharisäischen Judentum könnte das zunächst erstaunlich erscheinen, da für den Juden das Leben nach dem Gesetz der Weg zur wahren Freiheit ist (vgl. unten VIII/1). Paulus hat also seine „Bekehrung" auch als eine „Befreiung" erfahren; er glaubte früher auf dem Weg über das Gesetz zur Freiheit zu gelangen; jetzt, als Christ, erkennt er, daß dieser Weg in Wirklichkeit zu Sklavenschaft und Selbstentfremdung geführt hat. Das Gesetz führte in Wirklichkeit nicht „ins Freie", sondern in den Tod. So ist die Idee der „Freiheit" kein „Nebenkrater" in der paulinischen Theologie, sondern steht in ihrem Zentrum, und sie kann, von Paulus her gesehen, geradezu als „die Mitte des Evangeliums" angesprochen werden[10]. Man darf sagen: Die paulinische Theologie ist in ihrem tiefsten Wesen „Theologie der Freiheit"[11]. Das

[9] Zur Exegese von Gal 5,1 vgl. *Mußner*, Galaterbrief 342–345.
[10] Vgl. *H. Schürmann*, Die Freiheitsbotschaft des Paulus – Mitte des Evangeliums?, in: Catholica 25 (1971) 22–62; *E. Käsemann*, Der Ruf der Freiheit (Tübingen ^{5}1972) passim.
[11] Vgl. auch *Schürmann*, Freiheitsbotschaft 59.

Substantiv ἐλευθερία kommt bei Paulus 7mal vor (in den Evv und in der Apg nie), das Adjektiv ἐλεύθερος 16mal (Mt 1mal; Joh 2mal), das Verbum ἐλευθεροῦν 5mal (Joh 2mal). Im Gal erscheinen die vom Stamm ἐλευθ- gebildeten drei Derivate 11mal, was von der Thematik des Briefes her nicht verwundert.

Der Apostel hat Freiheit auch als Befreiung von bestimmten „Welt"-Mächten durch Christus verstanden (vgl. unten III) und positiv als neuen, eschatologischen Heilszustand (IV) mit bestimmten Konsequenzen für die christliche Existenz (V), verbunden mit der Hoffnung einer kommenden Befreiung der gesamten Schöpfung vom Todeslos (VI). Die Freiheit, zu der uns Christus befreit hat, zeigte sich aber schon an in Jesu Reich-Gottes-Handeln und in seiner Auferweckung von den Toten (VII). Im paulinischen Verständnis der Freiheitsidee zeigt sich ein großer Unterschied von der jüdischen, griechischen und gnostischen Freiheitsidee (VIII). Schließlich zeigt sich in der „Freiheit", wie der Apostel sie verkündigt, die Zukunft Gottes (IX).

III.
Freiheit als eschatologische Befreiung

1. Befreiung vom Gesetz als Heilsweg

Das Gesetz, nach jüdischer Anschauung eine Lebensmacht, wurde nach paulinischer Lehre in Wirklichkeit ein Todesfaktor: „So erwies sich mir eben dies zum Leben (gegebene) Gesetz als zum Tod (führend)“ (Röm 7,10; vgl. Gal 3,12): „Der Tod, von dem hier die Rede ist, ist jener Tod, welcher dem Heilsgut ‚Leben‘ entgegensteht, also nicht speziell der leibliche Tod, sondern Tod in umfassendem Sinne, der Tod vor Gott, der absolute Tod, dessen schreckenerregendes Symbol der leibliche Tod ist“ (O. Kuss)[12]. Das Gesetz, das das Leben bringen sollte, wurde in Wirklichkeit nach Röm 8,2 zum „Gesetz der Sünde und des Todes“, von dem das „Gesetz des Geistes des Lebens in Jesus Christus ... befreit hat“. Mit dem „Gesetz der Sünde und des Todes“ ist das Gesetz Gottes gemeint, das zwar nach Röm 7,12 „heilig und gerecht und gut“ ist, das aber in Wirklichkeit zu einem Todesfaktor wurde, weil der Mensch ohne das Gesetz die Macht der Sünde nicht „gekannt“ hätte; diese nahm das Gesetz als „Ausgangspunkt“ (ἀφορμή) ihres todbringenden Angriffes auf den Menschen und rief in ihm jede Begierde hervor. So lebte durch die Ankunft des Gesetzes die Sündenmacht erst richtig auf

[12] Der Römerbrief (Regensburg 1957ff) 448.

und brachte den Menschen in den Tod (Röm 7,7–10)[13]; sie „täuschte“ und „tötete“ den Menschen „durch das Gebot“ (7,11). Das Gesetz wurde so zur „Macht (Kraft) der Sünde“ (1 Kor 15,56).

Ein Doppeltes ist in den Aussagen des Apostels über das Gesetz überraschend und „unjüdisch“: einmal die eigentümliche Beurteilung des Gesetzes als einer todbringenden Instanz und zweitens die Sicht des Menschen, der es mit dem Gesetz zu tun hat. Aber „Paulus sah sich genötigt, die Freiheit vom Gesetz nicht nur zu haben, sondern auch zu durchdenken“ (Nieder-

---

[13] Zur differierenden Auslegung von Röm 7,9f vgl. besonders O. *Kuss*, Römerbrief, 444–448, der folgende Interpretation vorträgt: „Nicht von Adam ist die Rede, nicht unmittelbar von Paulus, sondern von dem Ich, welches jeder Mensch ist... und von der schlechthin rätselhaften Erfahrung, daß dieses Ich – wie es sich wohl zu erinnern vermag – eines Tages, mit dem Gesetz, mit dem Gebot konfrontiert, den Widerstand in sich aufsteigen und zur eigenen Tat werden sah, der das ‚Leben‘ der Sündenmacht bezeugt und vor Gott Tod bringt“ (448). *K. Niederwimmer* bemerkt zu Röm 7,7ff (Der Begriff der Freiheit im NT [Berlin 1966] 126): „Man setzt am besten in Vers 9 an: ἐγὼ δὲ ἔζων χωρὶς νόμου ποτέ = ‚einst‘ lebte ich ohne das Gesetz, in einem Zustand nicht sub lege, nicht sub gratia, sondern ante legem. Mythologisch gesprochen war das das Leben im ‚Paradies‘... Die Frage, ob dieses ‚Einst‘ seine geschichtliche Wirklichkeit in der Kindheit hat, in der dem Juden das Gesetz noch nicht aufgelegt wird, oder nicht, ist für die Sache gleichgültig. In diesem paradiesischen Zustand... gab es auch keine Sünde, oder genauer: die Sünde war wohl ‚da‘, aber sie war noch ‚tot‘: χωρὶς γὰρ νόμου ἁμαρτία νεκρά... (Vs 8). Man kann auch sagen: die *Freiheit* war noch nicht ‚erregt‘, der Mensch lebte noch in der Einheit mit Gott, mit der Welt, mit sich selbst. – Die Freiheit war noch nicht aktualisiert. Sie war bloße Potenz. Der Mensch war sich seiner Möglichkeiten noch nicht bewußt. Die Sünde war potentiell da, aber noch nicht aktualisiert. Die Aktualisierung der Sünde geschieht durch das Gesetz... Das Gebot schafft nicht die Sünde... es ruft aber die Sünde hervor, es macht die ‚vorher‘ schon vorhandene, aber lediglich potentielle Sünde ‚wach‘, ‚bewußt‘, ‚lebendig‘. Durch das Gebot wird aus der potentiellen Sünde die aktuelle.“ Vgl. ferner *J. Blank*, Der gespaltene Mensch. Zur Exegese von Röm 7,7–25, in: *ders.*, Schriftauslegung in Theorie und Praxis (München 1969) 158–173. Blank bezeichnet das ἐγώ von Röm 7 als ein „literarisches Ich“, das verallgemeinerungsfähig ist, und bemerkt dazu: „Paulus beschreibt den Menschen unter der Herrschaft von Gesetz und Sünde rückblickend von Christus her, nicht als psychologische Deutung seiner eigenen Vergangenheit... Das ‚Ich‘ ist... der Mensch unter dem Gesetz, der ich selber bin und doch

wimmer)[14], und dieses „Durchdenken" gelingt ihm nicht anders als auf dialektische Weise, indem er die eigenartig verschlungene Dialektik, die zwischen Gesetz und Sünde herrscht, zur Sprache zu bringen versucht, und zwar von der religiösen Erfahrung des Menschen her, wie Röm 7 zeigt. Aber was ist das für ein Mensch, der sich dem Gesetz konfrontiert sieht? Nicht der Mensch, der im Heilen wäre oder jenseits von Gut und Böse lebt, sondern der Sünder. „Das Gesetz trifft auf den *Sünder*, es setzt in seinem Ruf den *Sünder* in Bewegung und damit die *Sünde*. So wird es, seinem intendierten Sinn entgegen, für den seiner Freiheit beraubten Menschen zu einer ‚Macht' wie andere Mächte, die ihn von außen bestimmen" (Niederwimmer)[15]. Das Gesetz setzt die Trennung von Gott und Mensch schon voraus, und diese Trennung disqualifizierte den Menschen bereits so sehr, daß er den strengen Forderungen des Gesetzes nicht genügen konnte. So hat das Gesetz zwar den Menschen in die Freiheit rufen wollen, aber dieser war zu schwach, um den Forderungen des Gesetzes Genüge zu tun, und so gelangte er durch das Gesetz nicht in den Raum der Freiheit, sondern geriet in die Fänge der Sündenmacht und damit in die des Todes. Er wurde gerade durch das Gesetz

---

zugleich nicht mehr bin, den ich deshalb in solcher Weise beschreiben kann, weil ich schon von anderswoher betroffen bin, und den ich doch als dieses Ich beschreiben muß, weil es sich immer auch um meine eigene Herkunft handelt. Indem der Mensch sich als erlöster Mensch erkennt, kann er sich vor Gott mit dem radikal Fremden, das ihm selber anhaftet, identifizieren und auseinandersetzen" (161 f). Es geht um die Selbstentfremdung des Menschen durch Sünde, Gesetz und Tod. Vgl. dazu auch noch *S. Lyonnet*, L'histoire du salut selon le ch. 7 de l'épître aux Romains, in: Bibl 43 (1962) 117–151; *W. G. Kümmel*, Röm 7 und die Bekehrung des Paulus (Leipzig 1929), wiederabgedruckt in: *ders.*, Röm 7 und das Bild des Menschen im Neuen Testament (München 1974); *R. Schnackenburg*, Römer 7 im Zusammenhang des Römerbriefes, in: *E. Earle Ellis* und *E. Gräßer*, Jesus und Paulus (Festschrift für W. G. Kümmel) (Göttingen 1975) 283–300.

[14] Der Begriff der Freiheit im NT 118, Anm. 103.

[15] Ebd. 118.

ein Unfreier, „unter die Sünde verkauft“ (Röm 7,14) wie ein Sklave, der nicht frei über sich verfügen kann; er wurde wie einer, der in einen Kerker eingesperrt ist (Gal 3,23). „Das Gesetz gebiert nicht den Sünder, aber es macht ihn vollends, macht ihn καθ' ὑπερβολήν zum Sünder: *weil es nur seine ‚Fleischlichkeit'*, d.h. seine ausweglose Selbstverfallenheit, nicht bloß ἐν σαρκί zu sein, sondern auch κατὰ σάρκα zu leben, d.h. a se leben zu wollen, *offenbart*“ (Niederwimmer)[16].

Jetzt, in der mit Christus angebrochenen Heilszeit, ist das anders; „denn das Gesetz des Geistes des Lebens in Christus Jesus hat dich befreit vom Gesetz der Sünde und des Todes“ (Röm 8,2). Hier ist also von einer Befreiung die Rede, die schon erfolgt ist (Aorist ἠλευθέρωσεν, ebenso in Gal 5,1). Während aber nach Gal 5,1 Christus selbst der Befreier ist, ist dieser Befreier nach Röm 8,2 „das Gesetz des Geistes“. Was das alte Gesetz infolge der „Schwäche“ des menschlichen „Fleisches“ nicht vermochte (vgl. 8,3a), hat „das Gesetz des Geistes“ vermocht: die Befreiung vom Gesetz der Sünde und des Todes, und deshalb erweist sich das Gesetz des Geistes als ein Gesetz, das bleibendes „Leben in Christus Jesus“ zu bringen vermag. Wenn auch in der Exegese umstritten ist, ob in 8,2 das Präpositionalattribut ἐν Χριστῷ 'Ιησοῦ zu τῆς ζωῆς oder zu ἠλευθέρωσεν gehört[17], so ist auf jeden Fall der regierende Begriff in der Aussage der Term πνεῦμα, aber das Pneuma wird in dem Syntagma „das Gesetz des Pneuma“ als Gesetzesmacht verstanden, die dem alten Gesetz der Sünde und des Todes entgegengesetzt ist, dasselbe abgelöst hat. Dies gilt es zu beachten. Denn damit ist vom Apostel betont, daß die Befreiung des Getauften nicht in einen gesetzlosen Zustand führt. Dies scheint ihm so wichtig zu sein, daß er eine theologisch so kühne Aussage wagt wie diese, daß „das *Gesetz* des

[16] Ebd. 127. [17] Vgl. Näheres dazu bei *Kuss*, Römerbrief 490.

Geistes" den Menschen befreit hat, obwohl doch nach Gal 5,1 konkret Christus der Befreier ist. Der Apostel sieht also Christus als das verkörperte, persongewordene „Gesetz des Geistes", das an die Stelle des alten Gesetzes getreten ist[18]. „Daher, meine Brüder, seid auch ihr getötet worden zuungunsten des Gesetzes durch den Leib des Christus, auf daß ihr einem anderen gehört, dem von den Toten Erweckten" (Röm 7,4). Paulus führt zwar hier die Analogie aus dem Eherecht nicht konsequent durch, insofern er den Term „Gesetz" auf der Christusseite vermeidet, aber er schließt an den Indikativ sofort wieder den Imperativ an („damit wir Frucht bringen für Gott") und spricht in 7,6 von einem „Sklavesein" der Getauften, freilich von einem „Sklavendienst" „im neuen Wesen des Geistes und nicht im alten Wesen des Buchstabens", in Gal 6,2 sogar ausdrücklich vom „Gesetz Christi". „Neu" und „alt" sind „apokalyptisch" zu verstehen, d.h., mit „Buchstabe" ist „hier das Gesetz als Größe des alten Äons gemeint" (Niederwimmer)[19]; an seine Stelle tritt das Pneuma als die bestimmende Macht des Menschen, mit dem entscheidenden Unterschied: Während im Buchstaben das Ge-

[18] In Gal 6,2 nennt Paulus dieses Gesetz des Geistes „das Gesetz des Christus"; vgl. dazu *Mußner*, Galaterbrief 284f 399. Dafür gibt es ein begriffliches Analogon in dem rabbinischen Ausdruck „Die Tora des Messias", die aber nicht eine neue Tora im Vergleich mit der alten ist, wie *P. Schäfer* überzeugend gezeigt hat (Die Torah der messianischen Zeit, in: ZNW 65 [1974] 27–42). *H. Schürmann* hat den beachtlichen Versuch gemacht, „das Gesetz des Christus", von dem in Gal 6,2 die Rede ist, näher zu bestimmen („Das Gesetz des Christus" [Gal 6,2]. Jesu Verhalten und Wort als letztgültige sittliche Norm bei Paulus, in: J. Gnilka [Hrsg.], Neues Testament und Kirche [Festschrift für R. Schnackenburg] [Freiburg i.Br. 1974] 282–300). Nach Sch. besagt das Syntagma „das Gesetz des Christus" in Gal 6,2 „etwas Doppeltes: Formal wird der Weisung Jesu die denkbar höchste Autorität zugesprochen; inhaltlich wird sie betont abgesetzt von der Tora des Mose" (289). *Inhaltlich* konzentriert und intensionalisiert Paulus das Gesetz Christi „speziell auf die Liebesforderung hin" (290) und unterstreicht mit dem Term auch seinen *formalen* Forderungscharakter (291).

[19] Der Begriff der Freiheit im NT 193, Anm. 58.

setz von außen an den Menschen herantrat, wird im Pneuma der Mensch „aus dem Zentrum seiner Person bewegt“ (ders.)[20]. Das hat zur Folge: Was das Gesetz nicht vermochte, nämlich die Erfüllung des göttlichen Willens, vermag das Pneuma, das nun als innerer Antrieb dem Menschen den Willen Gottes sehen und erfüllen hilft; und so ist der Getaufte ein ἔννομος Χριστοῦ (1 Kor 9,21)[21]. Da das Gesetz des Geistes ein von der Macht der Sünde und des Todes befreiendes „Gesetz“ ist, liegt es nicht auf derselben Ebene wie das alte Gesetz, kann ihm nicht einfach parallelisiert werden, sondern ist der Überwinder des alten Gesetzes. Es ist die neue Ordnung, die mit dem neuen Sein „in Christus“ gegeben ist.

Die Fähigkeit des „Geistgesetzes“, das Leben zu bringen und so den Menschen in die Freiheit zu führen, liegt jedoch nicht an ihm selbst als der nova lex, sondern an dem neuen *Sein* des Getauften[22], das eine Frucht der Erlösung durch Jesus Christus ist. Das neue Sein selber ist „das Gesetz des Geistes“, weil das neue Sein auch eine neue Ordnung bedeutet. Gemeint ist damit, „daß die neue Ordnung Gottes selbst wieder zur Forderung wird ..., daß sie als Bund Gottes mit den Menschen zur Verpflichtung wird, und daß das mosaische Gesetz durch den Christus in ein Gesetz ganz anderer und neuer Art verwandelt wird (Jer 31,31–34)“ (O. Michel)[23]. Von einer „nova lex“ darf also in der Zeit der Kirche nur in solchem Verständnis gesprochen werden[24].

---

20 Ebd. 193. Vgl. auch noch *S. Lyonnet*, Liberté chrétienne et Loi de l'Esprit selon St. Paul (Paris 1954).

21 Zu dem schwierigen Begriff ἔννομος vgl. *Bauer*Wb s. v.; *C. H. Dodd*, Ἔννομος τοῦ Χριστοῦ, in: Studia Paulina in honorem *Joh. de Zwaan* (Haarlem 1953) 96–110.

22 Ausgedrückt in Röm 8,2 mit der Wendung „Leben in Christus Jesus“.

23 Der Brief an die Römer (Göttingen [4]1966) 189.

24 Vgl. dazu Weiteres bei *Mußner*, Galaterbrief 277–290 (Exkurs „Gesetz und Evangelium nach dem Galaterbrief“).

„Freiheit vom Gesetz" bedeutet also nicht Freiheit von Bindung; von der Freiheit vom Gesetz kann überhaupt nur gesprochen werden im Hinblick auf das neue Sein in Christus, das zugleich eine neue Ordnung bedeutet. „Freiheit vom Gesetz" ist ein Begriff, der nur möglich und verstehbar ist von den neuen Strukturen her, die das „Sein in Christus" in sich schließt. Es muß aber betont werden, daß das „Gesetz des Geistes" nicht etwa eine bloße Auslegung des alten Gesetzes ist, sondern wirklich ein neues „Gesetz": die neue Ordnung in Jesus Christus. Dies kommt in Gal 4,22–31 darin zum Ausdruck, daß „das obere Jerusalem", das selber „frei" und „unsere (der Getauften und Christusgläubigen) Mutter" ist, dem irdischen Jerusalem, das der Sklavin Hagar entspricht, weil es „mit seinen Kindern versklavt" ist, nicht nebengeordnet, auch nicht bloß übergeordnet, sondern in einem scharfen, fast dualistisch anmutenden Kontrast entgegengesetzt ist.

2. *Befreiung von der Macht der Sünde*

Die Sünde ist für den Apostel eine Macht; das geht z.B. aus Röm 7,11 eindeutig hervor[25]. Aber in Röm 7 ist auch ausgeführt, daß zwischen Sünde und Gesetz ein unlöslicher Zusammenhang besteht. Denn durch das Gesetz wurde die Sünde erst in ihrem wahren Wesen offenbar und erkennbar (7,7.13 [„damit sie als

[25] Wie Röm 5,12 zeigt, ist die Anschauung des Apostels über die „Sünde" zwar am Paradiesesmythos orientiert, aber deswegen ist die von ihm hier angesprochene ἁμαρτία nicht als „Erbsünde" zu bezeichnen, sondern einfach als die in der ganzen Welt seit „Adam" herrschende Unheilssituation, die sich am stärksten in der umfassenden Herrschaft des Todes in der Welt äußert (διὰ τῆς ἁμαρτίας ὁ θάνατος). Vgl. dazu auch *K.-H. Weger*, Erbsündentheologie heute. Situation, Probleme, Aufgaben, in: StdZ 181 (1968) 289–302; *J. Scharbert*, Prolegomena eines Alttestamentlers zur Erbsündenlehre (QD 37) (Freiburg i. Br. 1968).

Sünde in Erscheinung träte..., damit die Sünde durch das Gebot im Übermaß sündig würde"]). Deshalb kann der Apostel in Röm 8,2 sagen, daß das Gesetz des Geistes den Christen von dem Gesetz befreit hat, das zur Sünde und zum Tod führte. Was heißt das aber näherhin: Der Christ ist ein von der Macht der Sünde Befreiter? Würde man diesen Satz nur moralisch verstehen, käme man in einen seltsamen Konflikt mit der eigenen Erfahrung. Denn diese lehrt eindeutig, daß auch der Getaufte noch sündigen kann und in der Tat auch so und so oft sündigt. Nach Röm 7 kennt zwar auch der unerlöste Mensch angesichts des Gesetzes den ethischen Konflikt, aber seine Entscheidung fällt nur zu leicht zugunsten der Sünde, weil *sie* es letztlich ist, die das Böse im Menschen vollbringt: „Denn ich weiß, daß in mir, das heißt: in meinem Fleische, nichts Gutes wohnt, denn das Wollen liegt bei mir, das Rechte zu wirken aber nicht; denn nicht, was ich will, tue ich, das Gute, sondern was ich nicht will, das Böse, das vollbringe ich. Wenn ich aber, was ich nicht will, gerade das tue, wirke nicht ich es mehr, sondern die in mir wohnende Sünde" (Röm 7,18–20). Die Sünde ist also im Menschen so übermächtig, daß er ihr trotz der grundsätzlichen Erkenntnis des Guten und trotz allen guten Willens ohnmächtig verfällt und so „durch das Gesetz der Sünde, das in meinen Gliedern ist", zum „Gefangenen" wird (vgl. 7,23). Was hier vom Apostel in so erschütternder Weise zur Sprache gebracht wird, ist, modern gesprochen, die Selbstentfremdung, in die der Mensch durch die Sünde gerät[26]. Er will das Gute und muß das Böse tun! Die Sünde führt den Menschen nach Paulus in die Selbstentfremdung; die Befreiung von der Sünde deshalb zum „Selbstbesitz", aus dem heraus erst wahre Freiheit möglich ist, d.h. die wirkliche Freiheit, das Gute oder das Böse zu tun. Niederwimmer

[26] Vgl. dazu auch *J. Blank*, Der gespaltene Mensch (s. Anm. 13).

formuliert deshalb mit Recht: „Freiheit von der Sünde ist [nach Paulus] nicht moralische Tadellosigkeit, die aus dem entschlossenen und ausdauernden Befolgen einer Norm erfolgt... Freiheit von der Sünde ist vielmehr etwas, das den Ansprüchen und Imperativen *vorausgeht*, das aber Ansprüche und Imperative nach sich zieht."[27] Befreiung von der Sündenmacht durch Christus liegt also primär auf der ontologischen Ebene und erst sekundär auf der ethischen; sie ist Voraussetzung ethischen Handelns „gemäß dem Pneuma". Denn sie liegt dem konkreten ethischen Handeln schon voraus. Die Befreiung von der Macht der Sünde hebt die ethische Selbstentfremdung des Menschen auf, weil sie ihn in die Entscheidungsfreiheit führt, aus der heraus wahrhaft ethisch gehandelt werden kann. Der „neurotische" Zwang zum Bösen hört auf; das Gute kann getan werden. Befreiung von der Macht der Sünde heißt aber nicht, daß der Befreite das Gute nun „mechanisch" tun müßte. Die Freiheit, über die er nun verfügt, ist vielmehr eine echte Wahlfreiheit zwischen Gut und Böse. Auch der so Befreite kann sündigen! Der Imperativ bleibt vor ihm stehen; aber ihm steht ein neuer Indikativ gegenüber, fließend aus dem neuen Sein in Christus.

3. *Befreiung vom Tod als eschatologischer Unheilsmacht*

Das Verkauftsein unter das Gesetz war zugleich ein Verkauftsein unter die Macht des Todes. Denn „als das Gebot kam, lebte die Sünde auf, *ich aber starb*" (Röm 7,9f). Gesetz, Sünde und Tod hängen unlöslich zusammen. Das Gesetz sollte zwar nach dem Willen Gottes das Leben bringen, brachte aber in Wirklichkeit den Tod, der der Sünde Sold ist (6,23). Das Gesetz führt in

[27] Der Begriff der Freiheit im NT 189.

die Sünde und die Sünde in den Tod. Der Tod, von dem dabei die Rede ist, ist der „eigentliche" Tod, die definitive Trennung von Gott und der Gemeinschaft mit ihm. Aber dieser Tod zeigt sein furchtbares Wesen auch schon an in der Katastrophe des leiblichen Todes. Den „eigentlichen" Tod und den physischen Tod sieht der Apostel fast in einer Linie; doch geht aus Röm 8,10 deutlich hervor, daß das Sein in Christus den „Gläubigen" zwar nicht vor dem physischen Tod bewahrt, aber mächtiger als dieser ist, ihn überdauert[28]. Das neue Sein in Christus brachte die Befreiung von der Macht des Gesetzes und der Sünde. Inwiefern aber auch die Befreiung von der Macht des Todes? Paulus weiß, daß unser Leib dem Tod verfallen ist, und zwar „wegen Sünde" (Röm 8,10); er weiß aber ebenso von dem neuen Sein in Christus, das den irdischen Tod überdauert und dem ewigen Tod entgegengesetzt ist. Das neue Sein in Christus eröffnet ein Dasein, in dem der physische Tod des Gläubigen einen neuen Stellenwert besitzt. Er ist nun nicht mehr das katastrophale Ende des Menschen, seine endgültige „Demontage", sondern der letzte Akt des Mitsterbens mit Christus, dem gekreuzigten und auferstandenen Herrn, das bei der Taufe schon begonnen hat (Röm 6,3–5). Der eigentliche Todes- und Sterbensakt findet schon in der Taufe statt (Röm 6,3), die ein „Zusammenwachsen" mit dem getöteten und auferweckten Christus mit sich bringt[29]. Das gibt eine neue Sicht und neue Deutung des irdischen Todes. Er gehört nun zu den Akten, in denen das objektive Sein in Christus persönlich und existentiell vom Getauften verwirklicht und an-

---

[28] Vgl. auch *P. Hoffmann*, Die Toten in Christus. Eine religionsgeschichtliche und exegetische Untersuchung zur paulinischen Eschatologie (Ntl. Abh., NF 2, Münster 1966).

[29] Vgl. dazu *F. Mußner*, Zur paulinischen Tauflehre in Röm 6,1–6. Versuch einer Auslegung, in: *ders.*, PRAESENTIA SALUTIS. Gesammelte Studien zu Fragen und Themen des Neuen Testamentes (Düsseldorf 1967) 189–196.

geeignet wird, als „die Tötung Jesu" an unserem Leib (2 Kor 4,10; vgl. auch 1 Kor 15,31; 2 Kor 6,9; 11,23). Diese Übernahme der „Tötung" Jesu durch den Gläubigen bleibt zunächst „in unabgeschlossener geschichtlicher Bewegung" (R. Bultmann)[30], die erst beim endgültigen Sterben am Ende des irdischen Lebens abgeschlossen wird. Deshalb besteht Freiheit vom Tod nach Paulus in einem Doppelten: einmal in der Rettung des Menschen vor dem ewigen Tod durch das neue Sein in Christus, das ewiges Leben in sich schließt (Röm 6,23; 8,10; Eph 2,5) und ein Sterben zuungunsten der Sündenmacht bedeutet (Röm 6,10), zweitens darin, „daß sich das Leben – das Leben des Christus – im Sterben durchsetzt" (Niederwimmer)[31]. „Wenn wir mit Christus zusammen gestorben sind, glauben wir auch, daß wir mit ihm zusammen leben werden." Doch ist auch dazu die Voraussetzung die Erfüllung des Imperativs, der aus dem neuen Indikativ folgt (vgl. Röm 6,4b.6.11–14).

Die paulinische Lehre von der Befreiung des Getauften von Gesetz, Sünde und Tod versteht man in ihrer Tragweite nur, wenn man Sünde und Tod als Mächte von kosmischen Dimensionen versteht. Der Apostel geht in Röm 5,12–21 davon aus, daß nicht Adam erlöst wird, „sondern die von ihm in seinen Fall verstrickte Welt" (E. Käsemann)[32]. So stehen sich Welten gegenüber, zwar nicht dualistisch, sondern antitypisch: die Welt des Protoplasten Adam und die Welt des eschatologischen Adam, Christus, des Sohnes Gottes. Von beiden wurde und wird die Welt verändert. In der Welt Adams verbreitet sich der Tod „wie eine ansteckende Krankheit durch die Generationen"[33], und so baut sich eine Welt der Unfreiheit auf, in der nie-

[30] ThWb III, 21.
[31] Der Begriff der Freiheit im NT 216.
[32] An die Römer (Tübingen ³1974) 136.
[33] Vgl. ebd. 139.

mand „seine eigene Geschichte" erst beginnt. „Jeder bestätigt mit seinem eigenen Verhalten, daß er sich stets in einer von Sünde und Tod gezeichneten Welt vorfindet und ihrem lastenden Fluch unterliegt."[34] Sünde und Tod signifizieren als schicksalhaftes Verhängnis die Welt Adams. „Individuelle Welt wird nicht thematisch reflektiert."[35] „Sofern man überhaupt von Existenz sprechen muß, bleibt ihre Bezogenheit auf die jeweils sie bestimmende Welt ihr konstitutives Merkmal, ist sie Konkretion einer Herrschaftssphäre im personalen Bereich. Weil endlich die Welt kein neutraler Raum, sondern das Feld miteinander ringender Mächte ist, wird der Mensch als Einzelner wie in seiner Gemeinschaft zum Objekt dieses Konkurrenzkampfes und zum Exponenten der ihn beherrschenden Macht. Seine grundlegende Definition ergibt sich aus der Kategorie der Zugehörigkeit."[36] Nur in dieser Sicht, wie sie E. Käsemann in seinem genialen Kommentar zum Römerbrief vorgelegt hat, sieht man den Horizont der paulinischen Freiheitstheologie wirklich. Es geht in ihr um Welten, um Herrschaftssphären: hier eine Welt der Unfreiheit, dort eine Welt der Freiheit, und zwar so grundsätzlich, daß alles, was mit Freiheit oder Unfreiheit zusammenhängt, hier seinen Grund und seine Ursache hat. Der neue Adam verändert die Weltsituation! Es findet durch ihn ein Macht- und Herrschaftswechsel statt, jedoch mit entgegengesetzten Folgen: Während der Tod (und im Verein mit ihm die Sünde) eine den Menschen vernichtende Herrschaft ausübt, übt der eschatologische Herr der Welt, Christus, eine den Menschen aus der Endlichkeit und Sterblichkeit ins Leben führende Herrschaft aus. Befreiung ist kein bloßer Vorgang der „privaten" Existenz. Damit hängt der folgende Punkt zusammen.

---

[34] Ebd. 141.
[35] Ebd. 142.
[36] Ebd.

Der Elementendienst bedeutet nach Gal 4,3 eine „Versklavung" des Menschen. Darin liegt für den Apostel das Vergleichbare mit dem Gesetzesdienst. Die Hinwendung der Galater zum gesetzlichen Leben brachte eine ängstliche Beobachtung von „Tagen, Monaten, Zeiten und Jahren" mit sich (Gal 4,10); dadurch konnten die Galater in gefährliche Nähe zu einem Gestirndienst kommen und so zu einer erneuten Verehrung der „Weltelemente". Damit geraten sie wieder, wenn auch auf anderem Weg, in religiöse „Sklaverei"[37].

Auch die kolossischen Irrlehrer wollen die christliche Gemeinde unter die „Weltelemente" zwingen (Kol 2,8), während die Getauften doch in Wirklichkeit „mit Christus den Weltelementen abgestorben" sind (2,20). In Kolossä war die häretische Verehrung der „Weltelemente" verbunden mit besonderen Speisevorschriften und der Beobachtung bestimmter Zeiten und Feste (2,16), ferner mit einem eigenartigen „Engeldienst" (2,18) und einem magischen Verhältnis zu den Dingen der Schöpfung (2,20f). In Wirklichkeit hat Christus in seinem Tod und seiner Verherrlichung „die Gewalten und Mächte entwaffnet und zum Spott gemacht, da er über sie triumphierte" (2,15), er „ist das Haupt jeglicher Gewalt und Macht" (2,10), und deshalb sind jene, die „in ihm erfüllt", mit ihm begraben und auferweckt sind (vgl. 2,10ff), der Herrschaft der Mächte und Gewalten schon entzogen und keinem Dienst der Weltelemente mehr verpflichtet[38]. Christus hat sie *befreit* von der versklavenden Herrschaft der Elemente und Mächte, er hat sie „losgekauft" (Gal 4,5) und

---

[37] Vgl. Näheres dazu bei *Mußner,* Galaterbrief 268 291–303.

[38] Zur Bedeutung der „Weltelemente" im Kolosserbrief vgl. *E. Lohse,* Die Briefe an die Kolosser und an Philemon (Göttingen 1968) 146–152.

„herausgerissen aus dem bestehenden bösen Äon“ (1,4: das hier verwendete Verbum ἐξαιρεῖν hat auch die Bedeutung „befreien“[39]).

So verkündet der Apostel Christus als den eschatologischen Befreier in umfassender Hinsicht. Gesetzes- und Elementen-Dienst sollen nach dem Verständnis ihrer Vertreter Wege zum Heil sein, im Fall des alttestamentlich-jüdischen Gesetzes sogar nach dem Willen Gottes (Gal 3,12b = Lev 18,5: „wer sie erfüllt, wird in ihnen das Leben haben“). Paulus freilich interpretiert den Gesetzesweg als einen in Wirklichkeit aussichtslosen Weg zum Heil. Er erkennt, daß das Gesetz nur ein harter „Zuchtmeister auf Christus hin“ war[40]. Der neue Heilsweg des Glaubens ist für ihn zugleich der Weg, der von den alten „Heilswegen“, seien sie jüdischer oder heidnischer Art, befreit. Befreiung des Menschen durch Christus ist also für den Apostel auch Befreiung von den alten, in Wirklichkeit nicht zum Ziel führenden Heilswegen und Heilsversuchen der Menschheit[41]. Der Weg des Glaubens ist darum nicht bloß ein Weg in die Freiheit, sondern der Weg der Freiheit selbst. Die Freiheit, zu der Christus den Menschen befreit hat, ist ein Heilszustand.

---

[39] Vgl. *Bauer*Wb s. v.

[40] Vgl. dazu *Mußner*, Galaterbrief 256f 260.

[41] Vgl. dazu noch *W. Kern*, Die antizipierte Entideologisierung oder die „Weltelemente“ des Galater- und Kolosserbriefes heute, in: ZkTh 96 (1974) 185–216.

IV.
Freiheit als Heilszustand

Die Formulierung des Apostels in Gal 5,1: „Zur Freiheit hat uns Christus befreit“ besagt ein Doppeltes: Der Mensch kann sich selber nicht in die wirkliche Freiheit bringen, sondern bedarf dazu des Erlösers; die Freiheit ist sein Geschenk. Und sie ist das Ziel seiner Befreiungstat; sie ist deshalb ein dauernder Heilszustand des Menschen, den man kurz als „Befreitheit“ bezeichnen könnte. Dieser ist gegeben durch die „Sohnschaft“, die wir in der Erlösung durch Jesus Christus empfangen haben; vgl. Gal 4,6: der Kontext zeigt eindeutig, daß das Heilsziel (ἵνα) der Befreiung des Menschen aus der Knechtschaft des Gesetzes und der Weltelemente die Adoptivsohnschaft Gottes ist. Söhne sind keine „Unmündigen“ und „Sklaven“ mehr, sondern Freie. Näherhin ist es das Pneuma, in dem sich die Befreiung vollzieht (vgl. nochmals Röm 8,2) und in dem sich die Freiheit hält; „wo das Pneuma des Herrn ist, da ist Freiheit“ (2 Kor 4,17b). Das Pneuma bringt den Getauften und Glaubenden ihre Sohnschaft ins Bewußtsein (Gal 4,6ff; Röm 8,14f). Das Pneuma läßt den Menschen an der Freiheit Christi teilnehmen. Der konkrete Ort seiner Befreiung ist die Taufe (vgl. Röm 6,1–23). Nachdem für Paulus die Taufe die geheimnisvolle Teilhabe am Tod und an der Auferstehung Christi ist, bedeutet sie auch die grundsätzliche Befreiung von allen Todesmächten dieses Äons. Nach der kühnen Aussage von Eph 2,5f sitzen die Mitauferweckten bereits „im himmlischen Bereich in Christus Jesus“: sie sind damit den

Todesmächten entzogen und in den Freiheitsraum des Erhöhten versetzt.

Die Freiheit, zu der uns Christus befreit hat, ist deshalb wesentlich mehr als nur ethisch zu verstehende Entscheidungs- und Wahlfreiheit; sie ist vielmehr der dauernde Heilszustand der Befreitheit im Pneuma, der die sittliche Entscheidungsfreiheit in der konkreten Spannung von Indikativ und Imperativ ontologisch erst ermöglicht. Die Entscheidung selber „muß vielmehr zuvor geheilt werden, erst dann, erst innerhalb des neuen Seins, kann sie zu einer echten Verwirklichung gelangen. Dann wird allerdings auch die Entscheidung gefordert" (Niederwimmer)[42]. Damit hängt aber auch zusammen, daß die Formulierung „Freiheit von", „Freiheit zu" zur Kennzeichnung der paulinischen Freiheitstheologie nicht genügt. In Gal 2,4 spricht der Apostel vielmehr von der Freiheit, „die wir in Christus Jesus haben", eben als von einem dauernden, von Gott geschenkten Besitz. Freiheit ist als Befreitheit eine eschatologische Heilsgabe.

[42] Der Begriff der Freiheit im NT 183.

V.
Konsequenzen für die christliche Existenz

1. Freiheit im Spannungsfeld von Indikativ und Imperativ

Gerade als eschatologische Heilsgabe nimmt auch die Gabe der Freiheit an der charakteristischen Spannung teil, die nach der neutestamentlichen Verkündigung zwischen Heilsgegenwart und Heilszukunft besteht, zwischen dem „schon jetzt" und dem „noch nicht ganz". Da nach Röm 7,15–23 Freiheit bzw. Unfreiheit sich gerade in den ethischen Konflikten zeigt, im κατεργάζεσθαι, πράσσειν und ποιεῖν, liegt es nur nahe, daß die erwähnte Spannung sich in der Frage der Freiheit speziell als Spannung zwischen Indikativ und Imperativ zeigt. In der Zeit der Gesetzesknechtschaft war diese Spannung naturgemäß auch schon da, und der Mensch spürte sie in aller Schärfe und Bitterkeit in der täglichen Erfahrung, daß er den Imperativ des Gesetzes trotz allen guten Willens infolge der Schwäche seines Fleisches nicht zu erfüllen vermochte: „... das Wollen liegt bei mir, das Rechte zu wirken aber nicht; denn nicht was ich will, tue ich, das Gute, sondern was ich nicht will, das Böse, das vollbringe ich" (Röm 7,18b.19; vgl. auch 7,22). Das sittliche Versagen gehört zur täglichen Erfahrung des unerlösten Ich.

Die gnadenhafte Versetzung des Menschen in den Heilszustand der Befreitheit brachte eine entscheidende Veränderung dieser Situation. Denn nun steht im neuen Sein dem Menschen ein mächtiger Indikativ zur Verfügung, der ihn in den Stand setzen will, den Imperativ, den das Pneuma im Menschen spricht, zu erfüllen. Durch die Befreiung des Menschen von der Knechtschaft der Todesmächte, in dem ihm von Christus gewährten Stand der Befreitheit, besitzt der Mensch die Macht zu einem Handeln in Freiheit, d.h. in echter Wahl- und Entscheidungsfreiheit. Doch ist ein Doppeltes zu beachten: Der Imperativ tritt im Unterschied zu früher nicht mehr in erster Linie von außen an den Menschen heran, als ein „fremdes" Gesetz, sondern von innen: es ist das im Erlösten seit seiner Taufe wohnende Pneuma, das ihn zum christlichen Handeln „treibt" (vgl. Röm 8,14; Gal 5,18: „Wenn ihr vom Pneuma getrieben seid, seid ihr nicht unter dem Gesetz"). Und zweitens besteht kein Zwangsverhältnis mehr: Wie früher das Böse infolge der Macht der Sünde und der Schwäche des Fleisches fast getan werden mußte, ob man wollte oder nicht, so *muß* das Gute jetzt nicht getan werden; es *kann* auch das Böse getan werden. Die „Macht" des befreiten Menschen besteht also gerade darin, sich frei zwischen Gut und Böse entscheiden zu können. Jedenfalls gilt das im „ontologischen" Bereich des erlösten Menschseins; inwieweit auch im anthropologischen, ist eine andere Frage, die die Moraltheologie zu beantworten hat[43].

Warum ist jedoch ein Imperativ überhaupt noch nötig, wenn der Getaufte doch schon den Todesmächten entnommen ist? Zunächst deswegen: Weil die Entlassung in die Freiheit nicht eine Entlassung in den ethischen Libertinismus ist. Das neue Sein bringt auch eine neue Herrschaft mit sich: „Befreit von der Sünde, seid ihr Knechte der Gerechtigkeit geworden" (Röm 6,18); „jetzt aber, befreit von der Sünde, seid ihr Knechte für Gott geworden" (6,22). Das neue Sein schließt ethische Konsequenzen in sich; denn die Erlösten sind in das Eigentum eines

[43] Vgl. etwa *P. Chauchard*, Wie frei ist der Mensch? Biologie und Moral (dt. Düsseldorf 1968).

„anderen“ übergegangen, des von den Toten Erweckten, „damit wir Frucht bringen für Gott“ (7,4), in einem neuen Leben wandeln (6,4) und nicht mehr der Sünde dienen (6,6). „Nicht soll also herrschen die Sünde in eurem sterblichen Leib, so daß ihr seinen Begierden gehorcht, und gebt eure Glieder nicht als Waffen der Ungerechtigkeit der Sünde hin, sondern gebt euch Gott hin wie von den Toten Lebende und eure Glieder Gott als Waffen der Gerechtigkeit. Denn die Sünde wird nicht über euch herrschen, denn ihr seid nicht (mehr) unter dem Gesetz, sondern unter der Gnade“ (6,12–14). In Gal 5,13 warnt der Apostel ausdrücklich davor, „die Freiheit als Anlaß für das Fleisch“ zu nehmen. Diese und alle übrigen ethischen Paränesen des Apostels in seinen Briefen haben nur Sinn, weil das neue Sein, in dem der Getaufte sich befindet, noch im Wirkungsbereich des alten, wenn auch schon vergehenden Äons liegt und deshalb von der Sünde wieder gefährdet werden kann und so der Bewährung unterliegt. Der Indikativ zeigt sich deshalb als „Gesetz des Geistes“, das das neue Sein in Erscheinung bringen will[44]; es soll und will Früchte zeigen. Im ethischen Verhalten wird das neue Sein im Alltag des Lebens sichtbar.

Den Stand der Freiheit gilt es aber auch zu behaupten gegenüber allen Versuchen, die alten Knechtschaftsverhältnisse wiederherzustellen, wie es von den Gegnern des Apostels in den Gemeinden von Galatien oder von den Irrlehrern in der Gemeinde von Kolossä versucht wurde. Die Freiheit kann also auch in religiöser Hinsicht von den Mächten des alten Äons bedroht werden. Deshalb ist auch hier ein Imperativ am Platz: „Steht also fest und laßt euch nicht wieder unter das Joch der Knechtschaft zwingen“ (Gal 5,1b; vgl. auch Kol 2,8.16; Apg 15,10).

Die Freiheit kann in vielfältiger Weise mißbraucht und miß-

[44] Vgl. auch *Niederwimmer*, Der Begriff der Freiheit im NT 191.

verstanden werden. So kann der Christ zwar allen Ernstes sprechen: „Alles ist mir erlaubt!" (vgl. 1 Kor 6,12; 10,23 f), aber der Apostel fügt sofort hinzu: „Aber nicht alles nützt ... aber ich werde mich doch nicht von etwas beherrschen lassen!" (6,12.) Niederwimmer bemerkt zu der Formel „alles ist mir erlaubt" mit Recht: „Die Formel geht ... über das Bisherige insofern hinaus, als sie den Umfang der Freiheit erweitert: die christliche Freiheit umgreift nicht nur das Gesetz vom Sinai, sie umgreift alles und jedes, das je bestimmende Macht des Lebens werden könnte. Der ἐλεύθερος ἐκ πάντων (1 Kor 9,19) hat die absolute ἐξουσία und alles – Endliche! –, das die Welt bestimmt."[45] Die korinthischen Pneumatiker und Enthusiasten waren von dieser ihrer „Macht" besonders überzeugt – vielleicht gebrauchten sie die Formel „alles ist mir erlaubt" als Schlagwort, um ihr „freiheitliches" Bewußtsein und Handeln damit zu rechtfertigen. Der Apostel bejaht grundsätzlich die Formel, weil er weiß, daß die Freiheit, zu der uns Christus befreit hat, eine Totalbefreiung von den das Wesen des alten Äons bestimmenden und bewegenden Mächten ist. Aber er schränkt sie dennoch ein, weil die Formel in Korinth mißverstanden und mißbraucht wurde. Mißbrauch und Mißverständnis der Formel hatten, wie aus 1 Kor hervorgeht, ihre Ursache in einer falschen, fast gnostisch anmutenden Weisheits- und Auferstehungstheologie[46], die am Kreuz vorbeisehen, sich enthusiastisch in einem falschen Verständnis der eschatologischen Existenz des Getauften über ihre von den vorläufig-irdischen Bedingungen noch gesetzten Grenzen hinwegheben und sich von den Pflichten der Liebe zu allen Ge-

---

[45] Ebd. 197; *W. Foerster* in: ThWb II, 567f.

[46] Vgl. dazu vor allem *U. Wilckens*, Weisheit und Torheit. Eine exegetisch-religionsgeschichtliche Untersuchung zu 1 Kor 1 und 2 (Beitr. zur histor. Theol. 26) (Tübingen 1959); *W. Schmithals*, Die Gnosis in Korinth (Göttingen ²1965); *Niederwimmer*, Der Begriff der Freiheit im NT 196–212.

meindemitgliedern dispensieren wollte. Diese Theologie der korinthischen Pneumatiker korrigiert der Apostel entschieden und rückt damit auch die Idee der Freiheit des Christen in das Licht des rechten Verstehens. Freiheit ist für Paulus nicht absolute Freiheit; sie kann und muß mit Verzicht und Rücksicht auf andere verbunden sein. Sie findet ihre Norm am „Wort vom Kreuz" Jesu Christi, „durch den mir die Welt gekreuzigt ist und ich der Welt" (Gal 6,14). In der Erfahrung des Kreuzes und des Mitgekreuzigtwerdens findet die christliche Freiheit erst ihr wahres Wesen, kommt sie erst ganz zu sich. Denn Freiheit ist nach Paulus „ein Leben für Gott", ein Leben „entsprechend dem Pneuma", ein Leben in der Liebe.

2. *Freiheit und Liebe*[47]

Daß das christliche Freiheitsbewußtsein mit Liebe, d.h. mit der Hinwendung zum andern, verbunden sein muß, spricht der Apostel ausdrücklich in Gal 5,13b aus: „(Nehmt) nur nicht die Freiheit zum Anlaß für das Fleisch, sondern dient einander durch die Liebe." Die Begriffe „Fleisch" und „Liebe" charakterisieren ein gegensätzliches Verhalten. Äußert sich „Liebe" als Dienst am Mitmenschen, so „Fleisch" als egoistische Selbstverschließung und narzißtischer Selbstbezug. Die Liebe schaut weg von sich und auf den andern; das „Fleisch" beugt sich auf sich zurück und verschließt sich in sich selbst, aber gerade dadurch gerät es in die Unfreiheit der eigenen Ichverfangenheit. Wirklich frei ist nur der Liebende, weil er frei ist von sich selbst. Liebe bedeutet Befreiung vom Ich. „Gerade nicht im Bei-sich-selbst-

---

[47] Vgl. auch *G. Friedrich*, Freiheit und Liebe im ersten Korintherbrief, in: ThZ 26 (1970) 81–98.

Sein, sondern im Bei-dem-anderen-Sein gewinnt der Christ seine Freiheit“ (H. Schlier)[48].

Auch den hochmütigen „Pneumatikern“ von Korinth, die von ihrer freiheitlichen „Macht“ rücksichtslos Gebrauch machen wollten, zeigt Paulus einen „Weg“, der weit besser ist als jeder andere (1 Kor 12,31b: καθ' ὑπερβολὴν ὁδόν): *den Weg der Liebe* (1 Kor 13). Er selbst kann die Gemeinde in Korinth fragen: „Bin ich nicht frei?“ (1 Kor 9,1) und: „Haben wir vielleicht nicht die Freiheit, zu essen und zu trinken? Haben wir vielleicht nicht die Freiheit, eine Schwester als Frau mitzuführen, wie auch die übrigen Apostel, die Brüder des Herrn und Kephas? Oder haben allein ich und Barnabas nicht die Freiheit, nicht zu arbeiten?“ (9,4–6.) In 9,12b gibt Paulus selbst die Antwort, warum er von seiner apostolischen Freiheit und „Macht“ nicht Gebrauch macht: „... wir ertragen alles, um dem Evangelium Christi kein Hemmnis zu bereiten“, und in 9,19: „Denn bin ich auch allseits frei, so habe ich mich doch allen zum Knecht gemacht, um recht viele zu gewinnen.“ Der Apostel macht also keinen Gebrauch von der ihm zustehenden apostolischen Freiheit, um einer erfolgreichen Verkündigung des Evangeliums kein Hindernis in den Weg zu legen; er versteht seinen Dienst eben radikal als Dienst am anderen und an der Sache Christi. Die Freiheit, von der er allein Gebrauch machte, ist die, „allen alles zu werden“ (9,22b). Das ist die Freiheit der Liebe[49].

---

[48] ThWb II, 497. Vgl. auch noch *K. Rahner*, Theologie der Freiheit, in: Schriften zur Theologie VI (Einsiedeln/Zürich/Köln 1965) 215–237 (225–229: „Freiheit als dialogisches Vermögen der Liebe“).

[49] Vgl. dazu auch *Chr. Maurer*, Grund und Grenze apostolischer Freiheit. Exegetisch-theologische Studie zu 1 Korinther 9, in: Antwort. Karl Barth zum 70. Geburtstag (Zollikon/Zürich 1956) 630–641; *K. Maly*, Mündige Gemeinde. Untersuchungen zur pastoralen Führung des Apostels Paulus im 1. Korintherbrief (Stuttg. Bibl. Monogr. 2) (Stuttgart 1967) 119–123; *J. Blank*, Paulus und Jesus (München 1968) 197–208; *G. Bornkamm*, Paulus (Stuttgart 1969) 181–183.

Ist der Getaufte auch befreit von der Macht des Todes, insofern er mit dem gekreuzigten und auferweckten Christus nach Röm 6,5 „zusammengewachsen" ist, so ist er doch noch nicht von den Toten auferstanden; d.h., er lebt noch in seinem fleischlichen Leibe, der „wegen der Sünde sterblich" ist (Röm 8,10), dem irdischen Tod verfällt. Diese noch andauernde Existenz im Leib bedeutet deshalb eine Begrenzung und Hemmung der Freiheit. Denn der Leib nimmt an der Freiheit, zu der uns Christus befreit hat, noch nicht teil: er ist vom Todeslos gezeichnet und dem Einfluß des „Fleisches" ausgesetzt, insofern in den „Begierden des Fleisches" die Sünde sich in ihrer vielfältigen Gestalt anmeldet. Das Verhältnis von „Leib" und „Fleisch" schwankt in der paulinischen Theologie eigenartig hin und her zwischen Identität und Differenz[50]. Der Mensch ist einerseits, insofern er im Leibe lebt, „Fleisch" (vgl. etwa Gal 4,13), anderseits steht er dem „Fleisch" distanziert gegenüber, kann sich in seinem Verhalten von ihm bestimmen lassen – dann lebt er „dem Fleisch gemäß" und tut „die Werke des Fleisches". Läßt er sich dagegen vom Geist treiben, wird er „das Begehren des Fleisches" nicht mehr erfüllen; er hat „das Fleisch gekreuzigt mit seinen Leidenschaften und Begierden" (vgl. Gal 5,16–24). Aus Röm 7 geht klar hervor, daß es nach Paulus vor allem die Schwäche des „Fleisches" war, die den unerlösten Menschen immer wieder der Sünde verfallen ließ (vgl. besonders Röm 7,14.18.25). Im neuen Sein dagegen ist der Mensch durch Christus in die Freiheit versetzt, in der er mit Hilfe des Pneumas dem Begehren des Flei-

[50] Vgl. dazu O. *Kuss*, Der Römerbrief (Regensburg 1957ff) 506–540; *E. Schweizer* in: ThWb VII, 124–138; *A. Sand*, Der Begriff „Fleisch" in den paulinischen Hauptbriefen (Regensburg 1967) (mit reicher Literatur); *E. Brandenburger*, Fleisch und Geist. Paulus und die dualistische Weisheit (Neukirchen 1968).

sches und der Sünde widerstehen kann. Dies hat zur Folge, daß der ethische Imperativ des Apostels sich gerade auch auf den Leib bezieht[51], weil er durch seine enge Beziehung zum „Fleisch“ dessen Begehren besonders ausgesetzt ist. E. Schweizer bemerkt[52]: „σῶμα erscheint im Römerbrief gerade dort, wo die indikativische Aussage in die imperativische übergeht“, unter Verweis auf Röm 12,1 („Ich ermahne euch, Brüder ... eure Leiber als lebendiges, heiliges, Gott wohlgefälliges Opfer darzubringen ...“) und 6,12ff; auch hier begegnet der Begriff „Leib“ „in dem Übergangsabschnitt 11–14, in dem indikativische und imperativische Verbalformen gemischt sind ...“[53]: „Es herrsche also nicht die Sünde in eurem sterblichen Leib ... noch stellt eure Glieder als Waffen der Ungerechtigkeit der Sünde zur Verfügung, sondern stellt euch selbst Gott als solche dar, die von den Toten Lebende sind ...“ Das bedeutet, daß auch der Leib in den „geistlichen Gottesdienst“ der christlichen Gemeinde einbezogen ist (vgl. Röm 12,1b; 1 Kor 6,20) und auch an ihm die Freiheit, zu der der Christ befreit ist, sich bewähren muß, nämlich als Freiheit von der Sünde und dem Begehren des Fleisches. Auch der Leib des Getauften gehört Christus und Gott (vgl. 1 Kor 6,13b [„der Leib ist nicht für die Unzucht, sondern für den Herrn, und der Herr für den Leib“]; 6,19; Röm 6,13). „σῶμα ist der Ort, an dem der Glaube lebt, an dem sich der Mensch in die Herrschaft Gottes gibt“ (Schweizer)[54]. Deshalb ist auch der Leib ein vorzüglicher Ort, an dem sich die Freiheit des Christen zu bewähren hat, was selbst unter Schmerzen geschehen kann[55].

---

[51] Vgl. dazu *E. Schweizer* in: ThWb VII, 1061–1064.

[52] Ebd. 1061/34f. [53] Ebd. 1062/3f. [54] Ebd. 1063/14f.

[55] Vgl. auch *J. B. Metz* in: Handbuch theol. Grundbegriffe (München 1962) I, 412: Die „Leibhaftigkeit bedingt auch den eigentümlichen *Situationscharakter* der menschlichen Freiheit und ihre damit gegebene *leidvolle Exponiertheit*. Denn aufgrund ihrer Leibhaftigkeit ist sie jeweils auch ichfremden Einflüssen ausgesetzt.“

Das hängt auch damit zusammen, daß der Leib nicht im Tode bleiben, sondern von den Toten auferweckt werden und darin selbst zur eschatologischen Freiheit gelangen wird. Daß der Leib einstweilen noch dieser Freiheit entbehrt und als „Todesleib" (Röm 7,24b) durch den physischen Tod hindurch muß, gehört nach Röm 8,23 mit zum Grund für das „Seufzen" der Kinder Gottes in diesem Äon. Die Erlösung des Leibes und darin seine Befreiung in die Freiheit des Pneumas gehört zum Inhalt der christlichen Hoffnung (vgl. 8,23f). Auch für Paulus ist der leibliche Tod ein Schritt in die Freiheit, aber in völlig anderem Sinn als etwa für den Stoiker. Jedoch erst die Auferstehung von den Toten führt in die volle „Freiheit der Herrlichkeit der Kinder Gottes" (Röm 8,21).

4. Freiheit von Existenzangst und Existenzsorge

Obwohl der Apostel auch im Hinblick auf das Verhältnis des Getauften zu Gott und Christus die Begriffe „Sklave", „Sklavenschaft", „Sklavesein" verwendet (vgl. etwa Röm 7,6), schreibt er doch an die Gemeinde von Rom: „Ihr habt nicht den Geist der Sklaverei empfangen, wiederum zur Furcht, sondern ihr habt den Geist der Einsetzung zu Söhnen empfangen, in dem wir rufen: Abba, Vater!" (8,15)[56]. „Wiederum zur Furcht" bezieht sich auf die Zeit des Gesetzes: Am Sinai wurde Israel mit Furcht vor dem Gesetzgeber erfüllt. So ist es in der nun angebrochenen Heilszeit nicht mehr: Anstelle der Furcht vor dem Gesetzgeber ist die Kindesliebe zum Vater getreten, hervorgerufen durch das Pneuma, von der auch das neue „Sklavesein" bestimmt sein muß, das nicht mehr von Angst und Furcht gelei-

[56] Vgl. auch 2Tim 1,7.

tet ist. Freilich ist der Christ „nicht in der Weise von der Furcht frei, daß er keine mehr empfände[57], wohl aber in der Weise, daß er etwas hat, das stärker ist als alle Furcht, das πνεῦμα υἱοθεσίας (Röm 8,14ff)" (Niederwimmer)[58]. Die Furcht wird ständig von der Liebe zum Vater umfaßt. In der Kindschaft wird die Angst still, weil in ihr der Vater laut wird (Niederwimmer).

Weil mit der Befreiung durch Christus die wahre Zukunft aufgetan ist, deshalb schließt die christliche Freiheit auch jene von der irdischen Sorge in sich. „Sorgt euch um nichts!" (Phil 4,6.) Dieses Freiheitsbewußtsein zeigt sich auch im „eschatologischen Vorbehalt", wie er in 1 Kor 7,29–31 vom Apostel zur Sprache gebracht wird[59]. „Ich möchte, daß ihr ohne Sorge seid" (7,32). Sicher operiert hier Paulus in erster Linie mit dem Gedanken, daß die Zeit „zusammengerafft" ist und die Gestalt dieser Welt schon vergeht (7,29.31). Aber grundsätzlich möglich ist christliche „Sorglosigkeit" aufgrund der Freiheit, zu der uns Christus befreit hat. Sorglosigkeit meint Freiheit von angstvoller

---

[57] Denn auch die Liebe zum Vater schließt echte Furcht vor ihm nicht aus; denn der Vater ist auch der Richter. So überredet der Apostel die Menschen nach 2 Kor 5,11 „in dem vollen Bewußtsein der Furcht des Herrn", und er ermahnt die Gemeinden, „die Heiligung zu vollenden in Gottesfurcht" (7,1) und das Heil „in Furcht und Zittern" zu wirken (Phil 2,12). Aber die Tendenz im NT geht deutlich auf Überwindung der Furcht zugunsten von Vertrauen und Liebe, besonders auch in der Lehre Jesu selbst.

[58] Der Begriff der Freiheit im NT 217.

[59] Vgl. dazu Näheres bei *W. Schrage*, Die Stellung zur Welt bei Paulus, Epiktet und in der Apokalyptik. Ein Beitrag zu 1 Kor 7,29–31, in: ZThK 61 (1964) 125–154; *F. Mußner*, Christ und Welt nach dem NT, in: PRAESENTIA SALUTIS 268–283 (272–274); *G. Hierzenberger*, Weltbewertung bei Paulus nach 1 Kor 7,29–31. Eine exegetisch-kerygmatische Studie (Düsseldorf 1967). Vgl. ferner noch *E. Neuhäusler*, Ruf Gottes und Stand des Christen, in: BZ, NF 3 (1959) 43–60; *H. Braun*, Die Indifferenz gegenüber der Welt bei Paulus und bei Epiktet, in: Gesammelte Studien zum NT und seiner Umwelt (Tübingen 1962) 159–167; *H. Flender*, Das Verständnis der Welt bei Paulus, Markus und Lukas, in: KuD 14 (1968) 1–27; *D. J. Doughty*, Heiligkeit und Freiheit. Eine exegetische Untersuchung der Anwendung des paulinischen Freiheitsgedankens in 1 Kor. 7 (theol. Diss. Göttingen 1965 mschr.).

Sorge. Von dieser soll der Christ sich freihalten, was nicht bedeutet, daß nicht auch er arbeiten und sein Brot verdienen muß, wie es der Apostel selber tut (vgl. etwa 1 Thess 2,9; 4,11; 2 Thess 3,10). Aber er soll seine „Wünsche“ nach Phil 4,6 vor Gott „mit Danksagung“ tragen, dann wird er von der ängstlichen Sorge um das Irdische befreit werden. Denn im Gebet tritt „der Beter in eine eigentümliche Distanz zu seinen Wünschen“ (R. Bultmann)[60]; er gewinnt so Freiheit von sich selbst und der Sorge um sich selbst, und der Friede Gottes kann in sein Herz einziehen (vgl. Phil 4,7). Er wird frei für das „Sorgen füreinander“ (1 Kor 12,25), d.h. für die Liebe.

5. *Freiheit und Parrhesie*[61]

Der griechische Term παρρησία hat nach BauerWb folgende Bedeutungen: 1. *Die Offenheit* im Reden, die nichts verschweigt oder verhüllt. 2. Die Offenheit wird manchmal zu der *Öffentlichkeit*, in der sich Reden und Handeln abspielen, 3. Die *Freimütigkeit*, die sich nicht geniert, die *Unerschrockenheit*, besonders Höhergestellten gegenüber, sowohl im Verkehr mit Menschen als auch im Verkehr mit Gott.

Daß im paulinischen Verständnis die „Parrhesie“ wesentlich mit der Freiheit zu tun hat, geht besonders aus 2 Kor 3,10–18 hervor: Hier begegnet sowohl der Begriff παρρησία (V. 12) wie auch der Begriff ἐλευθερία (V. 17), und zwischen beiden besteht ein innerer Zusammenhang. Während Mose eine Decke auf sein

[60] ThWb IV, 595.

[61] Vgl. dazu vor allem *H. Schlier* in: ThWb V, 881 f; *Niederwimmer*, Der Begriff der Freiheit im NT 217; dazu noch *E. Peterson*, Zur Bedeutungsgeschichte von παρρησία, in: Festschr. f. R. Seeberg I (Berlin 1929) 283–297; *E. Gräßer*, Freiheit und apostolisches Wirken bei Paulus, in: EvTh 15 (1955) 333–342.

Antlitz legen mußte, „damit die Kinder Israels nicht das Ende des vergänglichen (Glanzes) sehen sollten" (V. 13b), und während auch die Juden „eine Decke auf ihren Herzen... haben, sooft Mose vor ihnen verlesen wird" (VV. 14f), so daß sie den wahren Sinn der Schrift nicht begreifen, macht der Apostel von der Parrhesie Gebrauch (V. 12), indem er offen die Wahrheit verkündet (vgl. 4,2), so daß die Gläubigen „mit hüllenlosem Antlitz die Herrlichkeit des Herrn im Spiegel" (des Evangeliums bzw. Christi)[62] schauen können (3,18a): Dies ist möglich, weil der Herr der Geist ist, und wo der Geist des Herrn ist, da herrscht Freiheit (3,17). Diese „Freiheit" zeigt sich einmal in dem „Vertrauen", das wir durch Christus zu Gott haben (3,4), andererseits in dem apostolischen Freimut, mit dem Paulus das Evangelium in der Öffentlichkeit der Welt verkündet (3,12; 4,2–5). Beide Ideen begegnen auch sonst in seinen Briefen und in jenen seiner Schule. Vgl. zum „Freimut" in der Verkündigung des Evangeliums besonders 1 Thess 2,2; Eph 6,19f; Phil 1,20; für den vertrauensvollen Zugang zu Gott Eph 3,12; 1 Tim 3,13; dazu noch Eph 2,18; Röm 5,2. „Wer in Christus ist, hat wieder die Freiheit zu Gott gefunden und kann sich ihm im Vertrauen nahen. Er kann frei und gerade dastehen vor dem Herrscher und Richter, ohne den Blick senken zu müssen, und kann seine Nähe ertragen" (H. Schlier)[63]. Und weil der Missionar die Hoffnung auf die kommende Herrlichkeit des Herrn besitzt, kann er öffentlich in der Welt mit allem Freimut von ihr reden. So zeigt sich auch in der Parrhesie des Christen die Freiheit, zu der ihn Christus befreit hat.

---

[62] Das scheint der Sinn des schwer zu deutenden Partizips κατοπτριζόμενοι zu sein; vgl. dazu die Kommentare.
[63] ThWb V, 881.

VI.
Die kommende Befreiung der Schöpfung

Die Verheißung einer kommenden Befreiung der ganzen Schöpfung spricht der Apostel in Röm 8,21 aus: „Die Schöpfung selbst wird *befreit* werden von der Knechtschaft der Verweslichkeit zur *Freiheit* der Herrlichkeit der Kinder Gottes." Da dem Apostel in V. 20 deutlich der Sündenfall mit der Verfluchung des Akkerbodens durch Gott vorschwebt (vgl. Gen 3,17f), liegt es nahe, daß er beim Begriff κτίσις an die ganze Kreatur denkt, die einst von der Knechtschaft der Vergänglichkeit befreit werden soll[64]. Die kommende „Befreiung" der ganzen Schöpfung hat

[64] Zur bis heute andauernden Kontroverse über Inhalt und Umfang des Begriffs κτίσις in Röm 8,20ff vgl. *Kuss*, Römerbrief, zu 8,19. Vgl. ferner *H. M. Biedermann*, Exspectatio creaturae (Rom. VIII, 19–22): RB 59 (1952) 337–354; *G. Schneider*, Neuschöpfung oder Wiederkehr (Düsseldorf 1961) 83–87; *E. Käsemann*, Der gottesdienstliche Schrei nach der Freiheit, in: Apophoreta. Festschr. f. E. Haenchen (Berlin 1964) 142–155; *H. Schwantes*, Schöpfung der Endzeit (Berlin o. J.) 43–52 (44: „Paulus meint an dieser Stelle mit ‚Schöpfung' den Kosmos der spätjüdischen Apokalyptik"); *St. Lyonnet*, Redemptio „cosmica" secundum Rom 8,19–23, in: VD 44 (1966) 225–242; *H. Schlier*, Das, worauf alles wartet. Eine Auslegung von Röm 8,18–30, in: *ders.*, Das Ende der Zeit (Freiburg i. Br. 1971) 250–270; *H. R. Balz*, Heilsvertrauen und Welterfahrung. Strukturen der paulinischen Eschatologie nach Röm 8,13–39 (München 1971); *H. Paulsen*, Überlieferung und Auslegung in Röm 8 (Neukirchen 1974). *A. Vögtle* interpretiert den Begriff κτίσις streng anthropologisch (Das Neue Testament und die Zukunft des Kosmos [Düsseldorf 1970] 183–208). Vgl. dagegen *E. Käsemann*, An die Römer (Tübingen ³1974) 225: „Man wird von [V.] 22 her κτίσις als die gesamte Kreatur unter Einschluß des Menschen verstehen, ohne scharfe Grenzen zu ziehen ... Es geht ... nicht an, in unsern Versen den Blick auf die Urgeschichte zu leugnen ..." *H. Schürmann*, Die Freiheitsbot-

ein doppeltes Ziel; ein negatives (ἀπό): Befreiung „von der Knechtschaft der Vergänglichkeit", d.h. von der durchgehenden Todverfallenheit, und ein positives (εἰς): Befreiung zur „Freiheit, die die (kommende) Herrlichkeit (Verherrlichung) der Kinder Gottes in sich schließt". Die Schöpfung wird an der Herrlichkeit der Kinder Gottes, die sich nach der Erlösung ihres Leibes in der Auferweckung von den Toten zeigen wird (V. 23b), teilnehmen. Die Freiheit des Kosmos wird also in seiner Verherrlichung bestehen, die die Freiheit von der „Nichtigkeit" (ματαιότης) = der Verweslichkeit (φθορά) mit sich bringen wird[65]. Die Befreiung des Kosmos vom Todeslos ist schicksalhaft mit dem eschatologischen Heil des Menschen verbunden, wie er auch am Unheil des Menschen teilnehmen mußte (V. 20). Wie deshalb der Mensch, solange er noch im Fleischesleib leben muß, seufzend Ausschau hält nach der Erlösung seines Leibes in der Auferweckung von den Toten, so „seufzt" der ganze Kosmos „mit" und wartet sehnsüchtig auf die kommende Offenbarung der Herrlichkeit der Söhne Gottes (VV. 19.22f).

Hier zeigt sich aber ein wichtiger Unterschied: Während die Kinder Gottes trotz der noch ausstehenden „Erlösung des Leibes" die Erstlingsgabe, die sie im Pneuma empfangen haben, und

---

schaft des Paulus 29, Anm. 25 (gegen Vögtle). Im Frühjudentum können die Begriffe „Schöpfung" (κτίσις) und „Welt" (κόσμος) synonym gebraucht werden; vgl. etwa syrApkBar 85,10: „Denn die Jugendzeit der *Welt* ist vergangen, und die Vollkraft der *Schöpfung* ist schon längst zu Ende gekommen." „Ohne eine kosmologische ist eschatologische Existenz des Menschen nicht aussagbar" (*J. Moltmann*, Theologie der Hoffnung [München [7]1968] 60). „Die Trennung von Kosmologie und Existenzverständnis bei Bultmann ist eine durch und durch künstliche und dogmatische Operation ... die jeden Bezug zur Kosmologie verloren hat und in reine Subjektivismen abgeglitten ist" (*H. Albert*, Traktat über kritische Vernunft [Tübingen 1969] 112).

[65] Wahrscheinlich versteht Paulus die Begriffe ματαιότης und φθορά synonym (so auch nach der Auffassung vieler Kirchenväter), weil die Unterwerfung unter die „Nichtigkeit" (V. 20) der Befreiung „von der Knechtschaft der Vergänglichkeit" (V. 21) entgegengesetzt ist und beide VV. durch ein διότι verbunden sind.

darin die Sohnschaft bereits besitzen, nimmt der Kosmos an dieser anfänglichen Befreiung des Menschen jetzt noch nicht teil (er seufzt „bis jetzt" noch: V. 22); er ist noch ganz im Zustand des Wartens (V. 19). Die Zukunft hat für ihn selbst noch nicht begonnen, jedoch in dem, mit dem er solidarisch verbunden ist: im Menschen, der das Pneuma schon besitzt und darin die Freiheit, zu der ihn Christus befreit hat. So besteht auch für den Kosmos „Hoffnung" (V. 20) auf eine kommende Befreiung und Befreitheit. Im schon gegenwärtigen Heil des Menschen liegt auch die Zukunft der ganzen Welt begründet. Im gottesdienstlichen Schrei der Kirche legt der Geist selber Fürbitte dafür ein (vgl. V. 26), daß einmal die ganze Welt zur Freiheit gelange[66].

---

[66] Vgl. *Käsemann,* Der gottesdienstliche Schrei nach der Freiheit (s. Anm. 64).

VII.
Von Jesus zu Paulus

„Paulus und Johannes haben nicht die christliche Freiheit begründet, sondern sie haben sie als Wirklichkeit vorgefunden und versucht, diese Wirklichkeit in Begriffe zu fassen“ (Niederwimmer)[67]. Jesus selbst hat die christliche Freiheit begründet, und zwar in umfassender Weise: einmal schon durch sein vorösterliches Wirken, besonders aber durch seinen Tod und seine Auferstehung von den Toten.

1. Die Freiheit der Gottesherrschaft nach Jesus

Jesus von Nazaret verkündete die unmittelbare Nähe der Gottesherrschaft (Mk 1,15: „Nahegekommen ist die Herrschaft Gottes“), und in seinem Tun bricht diese schon mächtig an (Mt 12,28 = Lk 11,20: „Wenn ich aber mit dem Pneuma [Finger] Gottes die Dämonen austreibe, ist folglich [ἄρα] das Reich Gottes bei euch angelangt“). Die Synoptiker, speziell Mk, verstehen deshalb das messianische Wirken Jesu als machtvolle Epiphanie der Gottesherrschaft[68]. Aus dem eben zitierten Logion Jesu aus der Beelzebulperikope geht auch klar hervor, daß Jesus selbst die

[67] Der Begriff der Freiheit im NT 150.

[68] Vgl. dazu *F. Mußner*, Gottesherrschaft und Sendung Jesu nach Mk 1,14f. Zugleich ein Beitrag über die innere Struktur des Markusevangeliums, in: PRAESENTIA SALUTIS (Düsseldorf 1967) 81–98.

Schon-Ankunft der eschatologischen Gottesherrschaft mit seinen erfolgreichen Dämonenaustreibungen in einen unmittelbaren Zusammenhang brachte, d.h., die Gottesherrschaft ist im Verständnis Jesu der Gegenpol und die Gegenmacht gegen die Satansherrschaft, die sich in vielfältiger Weise äußert: als Sünde, Besessenheit, Krankheit und Tod, ja selbst als Naturkatastrophe. Auch Jesu ostentative Mahlzeiten mit den sogenannten Zöllnern und Sündern und seine Wunder sind Zeichen der in ihm schon hereinbrechenden Gottesherrschaft; darin zeigt sich das mit der Gottesherrschaft erscheinende Heil[69]. Dieses Heil ist aber seinem Wesen nach Befreiung: Befreiung aus den Fesseln der Sünde, Befreiung aus den Fesseln der Besessenheit, der Krankheit, des Todes. In dem Bericht des Lk über die Heilung der gekrümmten Frau (Lk 13,10–17) wird diese Heilung ausdrücklich als eine Befreiung von der „Fessel" verstanden, mit der der Satan die Frau „achtzehn Jahre lang gebunden hat" (V. 16)[70], und nach Mk 7,35 ist Stummheit eine „Fessel" für die Zunge, wozu A. Deißmann bemerkt: „Der Evangelist will nicht einfach erzählen, daß ein Stummer redend gemacht worden ist, sondern auch, daß eine dämonische Fessel gelöst, daß eines der Werke des Satans zerstört worden ist."[71] Jesus ist der „Stärkere", der dem Satan seine armen Opfer entreißt (vgl. Lk 11,22). Und so versteht Jesus seine βασιλεία-Taten deutlich auch als Taten der Befreiung, die den Menschen in die Freiheit führen. Das kommende Reich Gottes wird nicht bloß in die Freiheit

---

[69] Vgl. dazu Näheres bei *F. Mußner*, Die Wunder Jesu. Eine Hinführung (München 1967) 45–53.

[70] Für die Heilung werden die Verba ἀπολύειν (V. 12) bzw. λύειν (V. 16) gebraucht, die beide auch die Bedeutung „befreien" haben (vgl. *BauerWb* s.v.). Die Heilung der Frau ist daher „ihre Befreiung" (*W. Grundmann*, Das Evangelium nach Lk [Berlin o.J.] 280).

[71] Licht vom Osten (Tübingen ^{4}1923) 261 (vgl. überhaupt 258–261).

führen, sondern wird Freiheit sein: ein vernachlässigter Aspekt in den Darstellungen der synoptischen Reich-Gottes-Theologie.

Auch Jesu Stellung zum Gesetz kann unter dem Aspekt der Befreiung des Menschen zur Freiheit verstanden werden. Das läßt sich z. B. an der eben erwähnten Perikope von der Heilung der gekrümmten Frau zeigen; denn diese Heilung erfolgte an einem Sabbat (vgl. Lk 13, 10.14.17). Für den Synagogenvorsteher ist die Heilung der Frau durch Jesus eine am Sabbat verbotene Arbeit (vgl. V. 14; vgl. auch 14, 3 f; Mk 3, 1 Par.; Joh 7, 23; 9, 14). „Damit war die Verweigerung der dem Menschen helfenden Liebe zu einem Gottesdienst gemacht, und dies ergab gegen das, was Jesus als Gottes Willen in sich trug, einen unerträglichen Widerspruch, den er unermüdlich sichtbar machte" (A. Schlatter)[72]. Deshalb ist nicht bloß die Heilung des Menschen von Krankheit eine Befreiungstat, sondern auch die dabei erfolgende Sichtbarmachung des wahren Willens Gottes; denn Jesus befreit den Menschen, der guten Willens ist, von einem falschen Verständnis des Gesetzes. Der Blick des Menschen soll frei werden für den wahren Willen Gottes! Ein so pointiertes Logion Jesu wie dieses: „Der Sabbat ist um des Menschen willen da, nicht der Mensch um des Sabbats willen" (Mk 2, 27) proklamiert geradezu die Freiheit des Menschen, die durch eine rein gesetzlich-kasuistische Auslegung des geoffenbarten Willens Gottes verlorenzugehen droht. Jesu „gefährliches" Tun befreit freilich nicht *vom*, vielmehr *zum* Gehorsam gegen Gott; aber es ist, wie die Bergpredigt zeigt, kein von außen aufgelegter Gehorsam, sondern der Gehorsam des Herzens. Daß dem frommen Juden dieser Gehorsam des Herzens nicht auch wichtig gewesen wäre, soll damit in keiner Weise gesagt sein; aber Jesu Reduzierung der Satzungen auf wenige und seine radikale „Gesinnungsethik" er-

[72] Das Evangelium des Lukas (Stuttgart [2]1960) 325.

möglichen einen neuen Raum der Freiheit, der in der jüdischen Gesetzesfrömmigkeit so nicht gegeben ist, appelliert aber auch stärkstens an das ethische Verantwortungsbewußtsein des einzelnen und damit an seine Freiheit. Dies zeigt sich beispielhaft und eklatant an Jesu Stellung zu den levitischen Reinheitsgebräuchen seines Volkes; wenn es für den Menschen keine „unreinen" Speisen mehr gibt (vgl. Mk 7, 19 b)[73], dann bedeutet das für ihn Befreiung, zugleich aber einen dringenden Appell an sein „Herz", aus dem jenes „Böse" kommt, das den Menschen in Wahrheit „verunreinigt" (7, 20–23).

Auch Jesu Ruf in die Nachfolge, mit dem der Ruf in die Armut verbunden ist, führt in den neuen Raum der Freiheit. Das zeigt deutlich die Perikope vom reichen Jüngling (Mk 10, 17–22 Parr.). Der Angerufene kann sich von seinen „vielen Gütern" (V. 22 b) nicht trennen und tritt deshalb nicht in die Nachfolge Jesu ein. Sein Reichtum raubt ihm die innere Freiheit, die dazu Voraussetzung wäre.

Und Jesus will den Menschen von der ängstlichen Sorge um die Dinge des Lebens befreien: „Seid nicht besorgt um euer Leben, was ihr essen und trinken sollt; auch nicht für euren Leib, was ihr anziehen sollt" (Mt 6, 25). Das Vertrauen in die Liebe des Vaters würde den Menschen, so lehrt Jesus, in die Freiheit von solcher Sorge führen (6, 31–34).

Die Freiheit, zu der Jesus den Menschen befreien will, ist die Freiheit der Kinder Gottes.

Der johanneische Christus sagt zu den „Juden": „Wenn euch der Sohn frei macht, dann werdet ihr wirklich Freie sein" (Joh 8, 36). Die endgültige Befreiung durch Christus geschah durch

---

[73] Vgl. dazu auch *W. Paschen*, Rein und Unrein. Untersuchung zur biblischen Wortgeschichte (München 1970) 153 ff; *W. G. Kümmel*, Äußere und innere Reinheit des Menschen bei Jesus, in: *H. Balz/S. Schulz* (Hrsg.), Das Wort und die Wörter (Festschr. f. G. Friedrich) (Stuttgart/Berlin/Köln/Mainz 1973) 35–46.

seinen Tod und seine Auferstehung. Denn in der Auferstehung Jesu manifestierte sich der „Endmensch", der „zweite" und „letzte Adam" (1 Kor 15,45.47), über den der Tod keine Gewalt mehr hat (Röm 6,9), der den Tod als den „letzten Feind" vernichten (1 Kor 15,26)[74] und so die Welt in die endgültige Freiheit führen wird. Gerade das Kerygma von der Auferweckung Jesu von den Toten hat dem Apostel entscheidende Impulse zu seiner Freiheitstheologie gegeben; denn in ihr geht es letztlich um die Befreiung der Welt von der Herrschaft des Todes.

2. *Paulus und Jesus*

Gerade der Galaterbrief zeigt, daß Paulus Christus vor allem als den großen Befreier verstanden hat, der uns zur Freiheit befreit hat (Gal 5,1). Der Brief zeigt aber auch, daß der Apostel die entscheidenden Anregungen zu seiner Freiheitstheologie nicht „von außen", etwa durch die Begegnung mit der griechischen oder gnostischen Freiheitsidee, empfangen hat, sondern aus der Erkenntnis dessen, was Tod und Auferstehung Jesu für die Welt bedeuten. In der Verkündigung des heilbringenden Todes und der heilbringenden Auferstehung Jesu – und „Heil" impliziert im Sinn des Paulus Befreiung und Befreitheit – besteht das „Evangelium" des Apostels, neben dem es kein „anderes" Evangelium gibt (Gal 1,6). Der Kampf des Apostels gegen seine Gegner in Galatien, Korinth und Kolossä ist ein Kampf für die christliche Freiheit, in dem der Kampf Jesu gegen einen falschen Pharisäismus auf einer neuen Ebene seine Fortsetzung findet[75].

---

[74] In 1 Kor 15 stehen der Tod als „letzter Feind" (der Welt) und der auferweckte Christus als „der letzte Adam" in bewußter Opposition zueinander.

[75] Vgl. auch *W. G. Kümmel* in: *Dibelius-Kümmel*, Paulus (Samml. Göschen, Bd. 1160) (Berlin 1951) 123.

Jedenfalls zeigt sich, daß die paulinische Lehre von der Freiheit des Christen nicht etwas völlig Neues neben der Lehre Jesu ist, daß vielmehr die Lehre des Apostels darüber in der Linie dessen liegt, was von Jesus in seinem vorösterlichen Leben begonnen wurde und in seinem Tod und seiner Auferstehung zur Vollendung kam: *der Apostel Paulus hat Jesu Befreiung des Menschen zur Freiheit der Kinder Gottes zu einem Grundthema seiner Theologie gemacht*[76]. Er konnte das, weil er wie kein anderer Missionar der Urkirche die Konsequenzen, die sich aus Tod und Auferstehung Jesu für das Heil und den Heilsweg ergaben, erkannt hat. Die Freiheit liegt in der „Logik" des Evangeliums[77].

Um die paulinische Theologie der Freiheit ganz zu verstehen, ist schließlich ein Vergleich derselben mit der jüdischen, griechischen und gnostischen Freiheitsidee lehrreich.

---

[76] Gerade der Freiheitsgedanke verbindet Paulus mit Jesus und umgekehrt. Dies müßte bei der Behandlung des viel umstrittenen Themas „Jesus und Paulus" vor allem beachtet werden.

[77] Von der „Logik" des Evangeliums spricht Paulus, wenn er in Gal 2,5.14 „von der Wahrheit des Evangeliums" spricht (vgl. dazu *Mußner*, Galaterbrief 111, Anm. 58; 144).

VIII.
Vergleich mit der jüdischen, griechischen und gnostischen Freiheitsidee

1. Judentum

„Durch das AT geht ein frischer Wind von Freiheit im Glauben – trotz des tiefen Bewußtseins von der ehrfurchtgebietenden Majestät Gottes. Diese Freiheit ist eine Gnadengabe des herrlichen Gottes, der dem Menschen, dem kleinen und unbedeutenden Wesen, personhafte Selbständigkeit gewährt – auch diese ist in der Lehre vom Bild Gottes beschlossen! – und ihn selbst als solchen mit der Herrschaft über das Werk Gottes auf der Erde betraut hat“ (Th. C. Vriezen)[78]. Die „personhafte Selbständigkeit“, von der Vriezen redet, ist in der alttestamentlichen Paränese stets vorausgesetzt, in steter Verbindung mit dem Wissen um des Menschen Neigung zur Sünde[79]. Trotzdem ist die Freiheit kein ausdrückliches Thema der alttestamentlichen Theologie[80], was sich allein schon darin zeigt, daß es im biblischen He-

---

[78] Theologie des AT in Grundzügen (Neukirchen o. J.) 269.

[79] Vgl. auch *W. Eichrodt*, Theologie des AT III (Berlin ²1948) 93–100.

[80] Wohl ist der Freiheitsgedanke ein politisches Movens ersten Ranges in der Geschichte Israels, besonders auch in der politischen Theologie der Zeloten; vgl. dazu *M. Hengel*, Die Zeloten. Untersuchungen zur jüdischen Freiheitsbewegung in der Zeit von Herodes I. bis 70 n. Chr. (Leiden/Köln 1961) 114–127 („Die Freiheit Israels“). So spricht Josephus von der „unüberwindlichen Freiheitsliebe“ der Zeloten (Ant. XVIII § 23). „Aus Sehnsucht nach Freiheit sind wir von den Römern abgefallen ...“ (Bell. II § 443). „Das erste zeitlich genau fixierbare Auftreten des hebräischen Begriffs für ‚Freiheit‘ fällt bezeichnenderweise in die Zeit des Jüdischen

bräisch kein Lexem für „Freiheit“ (ἐλευθερία) gibt – דְּרוֹר ist der juristische Term für die Freilassung der Sklaven im Sabbat- und Jobeljahr (vgl. Lev 25,10; Jer 34,8.15.17; Ez 46,17)[81]. Eschatologisch gemeint ist vielleicht die Verheißung in Jes 61,1 über den Gottgesalbten, dessen Amt es ist, „auszurufen für die Gefangenen Freilassung“, in Lk 4,18 auf das messianische Werk Jesu bezogen. Die kommende Erlösung durch den Messias wurde jedoch immer, besonders im Frühjudentum, als umfassende Befreiung Israels verstanden[82], auch als Erlösung von den Sünden und vom Tod und als neue Geistmitteilung[83]. Aber unvorstellbar war und ist dem Judentum das, was Paulus vom Messias sagt, daß dieser „das Ende des Gesetzes“ für alle Glaubenden sei (Röm 10,4), und was die Paulusschule von ihm sagt, daß er den „Gebotenomos mit seinen Verordnungen zunichte gemacht“ habe (Eph 2,15). Im Gegenteil: nach frühjüdischer Anschauung vertritt der Messias gerade das Gesetz und seine Forderungen[84]. Damit hängt zusammen, daß wahre Freiheit für den frommen Juden nicht anders sich gewinnen läßt als in einem Leben nach dem Gesetz, wie es R. Jehoschua b. Levi (Anfang des 3. Jahr-

---

Krieges, und zwar finden wir das Wort חֵרוּת ... erstmalig auf den jüdischen Aufstandsmünzen“ (*Hengel* 120). Münzen des Bar Kochba lassen erkennen, daß die Begriffe „Freiheit“ (חֵרוּת) und „Erlösung“ (גְּאֻלָּה) „nahezu identisch sind“ (ebd. 122). Doch sollte man nicht übersehen, daß sich im AT bedeutende Ansätze zu einer Theologie der Freiheit finden, besonders in der Idee des „Exodus“ und in jener des Segens mit ihrer weitreichenden Wirkungsgeschichte (vgl. dazu *N. Lohfink*, Heil als Befreiung in Israel, in: *L. Scheffczyk* [Hrsg.], Erlösung und Emanzipation [QD 61] [Freiburg i. Br. 1973] 30–50).

[81] Vgl. *L. Koehler*, Lexicon in Veteris Testamenti Libros, s. v. דְּרוֹר ; *J. Ziegler*, Isaias (Echter-Bibel) zu Is 61,1–3. So findet sich im Sachregister von *G. v. Rads* Theologie des AT (II) s. v. Freiheit zwar das Stichwort „Freiheit Jahwes“ und „Freiheit der Propheten“, aber nicht „Freiheit des Menschen“.

[82] Vgl. dazu etwa *Billerbeck* I, 67–70 (mit Belegen). „Rufe Freiheit aus für dein Volk, das Haus Israels, durch den Messias ...“ (Targ. KL 2,22; *Billerbeck* IV, 576).

[83] Vgl. ebd. I, 70–74.

[84] Vgl. ebd. IV, 878.883.907.918.

hunderts n. Chr.) klassisch formuliert hat: „Und (die Schrift) sagt: ‚Und die Tafeln waren ein Werk Gottes, und die Schrift war Gottesschrift, eingegraben auf die Tafeln.‘ Lies nicht: ‚eingegraben‘ (חָרוּת), sondern ‚Freiheit‘ (חֵרוּת). Denn es gibt für dich keinen Freien außer dem, der sich mit dem Studium der Tora beschäftigt“[85]; die Gesetzestafeln Gottes sind nach dieser Auslegung eine Schrift Gottes, „welche Freiheit bedeutet“ (הוא חרות), und darum können sie den Befolger des Gesetzes in die Freiheit führen.

Hier zeigt sich der große Unterschied zwischen rabbinischer und paulinischer Freiheitsidee. Nach rabbinischer Lehre führt das Gesetz seinen Befolger in die Freiheit; nach Paulus kann das Gesetz diese Aufgabe nicht erfüllen, weil die Sünde sich des Gesetzes bemächtigte und der Mensch infolge der Schwachheit seines Fleisches der Macht der Sünde verfiel. So ist für Paulus das Gesetz faktisch zu einem Todesfaktor geworden, von dem Christus den Menschen befreit hat. Das wird freilich nur dem verständlich, der sich zu Christus bekennt.

2. *Griechentum*[86]

a) Die griechische Freiheitsidee hat eine lange Geschichte und weist vielfältige Aspekte auf[87]. Der alte Sinn des Wortes ἐλεύθερος „meint Heimat als den Bereich, wo einer sein und bleiben

[85] Abot VI, 2b.

[86] Vgl. dazu *H. Schlier* in: ThWb III, 484–492; *M. Pohlenz*, Griechische Freiheit. Wesen und Werden eines Lebensideals (Heidelberg 1955); *Niederwimmer*, Der Begriff der Freiheit im NT 1–54; *D. Nestle*, Eleutheria I (Die Griechen) (Tübingen 1967; mit umfassender Literatur).

[87] Die Darstellung dieser Geschichte mit ihren vielfältigen Aspekten ist *Nestle* besonders gelungen. Daher folgen wir im wesentlichen seinen Analysen und Ergebnissen (bei N. auch die Textbelege).

kann“[88]. Deshalb realisiert sich Freiheit vor allem in der Polis. So vor allem bei *Solon*[89], der das Prädikat „frei“ dem Adel entreißen möchte, weil alle frei sind, die in der Polis als auf ihrer heimatlichen Erde leben. Auch bei *Aischylos* bleibt der Bezug der Freiheit zur Polis, aber der Dichter versteht den Begriff „Freiheit“ mehr vom Freiheitsbewußtsein her und damit mehr anthropologisch[90]. *Herodot* geht es „um die Bindung der Eleutheria an den Nomos“[91], wobei Nomos der Inbegriff dessen ist, „was in Kult, Brauch, Sitte, Recht den Lebensraum des Menschen ausmacht“[92]; der Mensch muß ihn in seinen Willen aufnehmen, dann wird er frei. Dabei verschiebt sich bei Herodot die Idee der Freiheit gegenüber der früheren Beziehung Freiheit – Polis: Bei ihm werden Nomos und Freiheit sozusagen transzendentale Größen, nicht mehr gebunden an eine bestimmte Polis, einen bestimmten Kult, eine bestimmte Verfassung. „Nomos wird selbst zum Inbegriff des Göttlichen, zum Gott.“[93] Bei *Euripides* ist das ἐλευθέρως θανεῖν, der freiwillige Opfertod für das Dikaion in der Polis, ein „Lieblingsmotiv des Dichters“ (M. Pohlenz)[94]; das ist zugleich der Sieg über die ἀνάγκη[95]. Bei *Thukydides,* dem Geschichtsschreiber des Peloponnesischen Krieges, „kommt die Freiheit als der eigentliche Grund der Herrlichkeit des perikleischen Athen unverhüllt zur Sprache. Es ist die gemeinsam ergriffene Möglichkeit des Aufbrechens, wohin man will, als Antwort auf den Aufruf der Freiheit.“[96] Deshalb bezeichnet er Athen als ἐλευθερωτάτη πατρίς. Sein Freiheitsbegriff ist sophistisch; Freiheit ist ζῆν ὡς βούλεταί τις. Freiheit wird zur Machtausübung[97]. Gegen eine solche

---

[88] *Nestle,* Eleutheria 135. [89] Ebd. 26–30. [90] Ebd. 35–46.
[91] Ebd. 47. [92] Ebd. 54. [93] Ebd. 55.
[94] Griechische Freiheit 59. [95] *Nestle,* Eleutheria 71–75. [96] Ebd. 86.
[97] Vgl. auch *H. Diller,* Freiheit bei Thukydides als Schlagwort und Wirklichkeit, in: Gymnasium 69 (1962) 189–204.

Auffassung von Freiheit wendet sich *Platon,* der große Philosoph, obwohl für ihn „Freiheit" kein philosophischer Begriff ist. Auch er sieht Freiheit in bezug auf die Polis[98]. In dem Maße, wie der Nous „seine einende, heilende, göttliche Macht entfaltet und zur Geltung bringt, in dem Maße, wie die Polis und insbesondere ihre Führer seinem Leiten und Ziehen sich anvertrauen, ihm stattgeben im δουλεύειν θεῷ, in dem Maße also, wie die Polis Herrschaftsbereich des Nous ist, sind das Ganze und der Einzelne eleutheros"[99]. Die „eigentliche" Freiheit gewinnt der Mensch aber erst im Tod, weil der Tod die Befreiung von den „Fesseln" des Leibes ist; aber die Verantwortung im Jenseits bleibt[100]. Bei *Aristoteles*[101] verbindet sich ἐλευθερία mit dem Begriff der Demokratie, aber das Problem ist für ihn als Philosophen, wie sich der βίος πολιτικός und der βίος θεωρετικός vereinen lassen. Da er Freiheit als φύσει ἐλεύθερον versteht, das dem Sklaven fehlt, transzendiert sein Freiheitsbegriff bereits die Gemeinschaft der Polis und gewinnt „kosmopolitische" Bedeutung, d.h., Freiheit kann auch außerhalb der Polis und ihrer Autarkie sein, wie dann Epikur und Epiktet lehren. *Epikur*[102] setzt den βίος ἐλεύθερος gegen den βίος πολιτικός. Gewonnen wird „das freie Leben" durch die ἡδονή, d.h. durch ein heiteres Leben, das sich frei hält von φόβος und πόνος, von leiblicher und seelischer Beunruhigung. Es geht dabei um das Glück des Augenblicks. Durch die immer wieder sich ereignende Erfahrung dieses Glücks überwindet der Mensch sogar die Herrschaft des Todes. Und dieses Glück erfährt man nach Epikur vor allem im philosophisch-theologischen Gespräch. Besonders durch die φιλία, gepflegt in gemeinsamen Mahlzeiten, zeigt sich die Hei-

---

[98] Vgl. *Nestle,* Eleutheria 89–101; *Pohlenz,* Griechische Freiheit 89–102.
[99] *Nestle,* Eleutheria 98.
[100] Ebd. 100f. [101] Ebd. 102–112. [102] Ebd. 112–119.

terkeit des Lebens und gewinnt man jene Freiheit, die von den Mächten der Selbstentfremdung befreit. Der Mensch gewinnt Geborgenheit und Heimat, jenseits des βίος πολιτικός. Daher hatte Epikur bei seinen Anhängern den Ehrennamen: σωτήρ und ἐλευθερωτής.

Tiefer geht die Freiheitsidee des *Epiktet*, fußend auf stoischer Tradition[103]. Um zur Freiheit zu gelangen, muß man alles loslassen, was nicht in unserer Macht (οὐκ ἐφ' ἡμῖν) steht. (Diss. III, 24). Mit dem Loslassen (ἀφιέναι) ist nicht die „Indifferenz gegenüber der Welt" gemeint (so H. Braun)[104], sondern der Sachverhalt, „daß der Mensch das, was der περίοδος τῶν ὅλων unterworfen ist, in seiner Bewegtheit nicht hindern, sondern es loslassen soll, damit die Bewegung des Ganzen nicht gehindert wird; heißt alles und jedes in seiner Bewegtheit wahrnehmen und darin belassen anstelle des titanischen Versuchs, dem Augenblick Ewigkeit abzwingen zu wollen" (Nestle)[105]. Frei wird man dann, wenn man sich dem Sinn des Ganzen, wie er sich bei der Betrachtung des Kosmos und seiner Ordnung und Schönheit zeigt, fügt und sich nicht an die ἀλλότρια verliert. Sich von Zeus auf den Platz führen lassen, der einem bestimmt ist: das führt zur Freiheit. Deshalb ist Freiheit schließlich Freisein für das Lob Gottes, und das heißt, daß der Mensch trotz aller bitteren Erfahrungen des Lebens frei werden soll zum *Sprechen*, nämlich im lauten Dankespreis auf Gott. „Der Weg zu solcher Freiheit ist die Einübung des rechten Unterscheidens zwischen Gott und Mensch mit Hilfe des ἐλευθεροποιὸν δόγμα, das heißt, mit Hilfe der Unterscheidung zwischen dem, was unsere Sache, und dem, was nicht unsere Sache ist."[106]

---

[103] Wichtig ist vor allem Diss. IV, 1 (περὶ ἐλευθερίας, dazu *Nestle* 121 ff).
[104] Die Indifferenz gegenüber der Welt bei Paulus und bei Epiktet, in: Gesammelte Studien zum NT und seiner Umwelt (Tübingen 1962) 159–167 (159).
[105] Eleutheria 129. [106] Ebd. 135.

b) Wenn in der Geschichte der griechischen Freiheitsidee ἐλευθερία wesentlich als Heimat, Polisgemeinschaft, Leben in froher Gelassenheit und Dankespreis auf Gott verstanden wird, so zeigt sich darin das Wesen des Menschen an. Solch bedeutende Einsichten des antiken Heidentums in das, was Freiheit ist, apologetisch abzuwerten, verriete einen kleinen Geist. Vergleicht man damit die paulinische Freiheitsidee, so zeigen sich zwar enorme Unterschiede[107], aber keine absoluten Gegensätze. Der Hauptunterschied ist der: „Eleutheros etc. war bei den Griechen nie vox theologica" (Nestle)[108], während bei Paulus ἐλευθερία ein genuin theologisch-heilsgeschichtlicher Begriff ist: „Zur Freiheit hat uns *Christus* befreit" (Gal 5,1). Das Gesetz, von dessen Todesherrschaft Christus befreit hat, sind nicht die νόμοι Herodots und Platons; und die στοιχεῖα τοῦ κόσμου, von deren Herrschaft ebenfalls Christus befreit hat, ist nicht der Kosmos der Stoiker und des Epiktet. Die Befreiung, die Christus brachte, ist in erster und letzter Hinsicht Befreiung von der Unheilsmacht der Hamartia. Daß Freiheit auch Freiheit vom Bösen, von der Selbstsucht usw. ist, wußte auch Epiktet[109], aber die dämonischen Tiefen der Sünde waren ihm verborgen. Was den paulinischen Freiheitsgedanken im Vergleich mit dem griechischen aber besonders kennzeichnet, ist der eschatologische Aspekt: Mit der Freiheit, zu der Christus befreit hat, öffnet sich grundsätzlich die Heilszukunft, sowohl des Menschen wie des Kosmos. Dieser Aspekt mußte den Griechen weithin verborgen bleiben, weil sie χωρὶς Χριστοῦ lebten und deshalb „keine Hoffnung" hatten (Eph 2,12). Diese „Hoffnungslosigkeit" entstand immer wieder vor dem dunklen und rätselhaften Phäno-

[107] Vgl. zu ihnen auch *Pohlenz*, Griechische Freiheit 169–183.
[108] Eleutheria 135.
[109] Vgl. Diss. II, 1,24 οὐδεὶς … ἁμαρτάνων ἐλεύθερός ἐστι.

men des Todes, der „stärksten Nicht-Utopie“ (E. Bloch) der Welt. Paulus verkündet, daß Christus der Ort ist, an dem die Macht des Todes schon überwunden ist und einst endgültig überwunden werden wird. Einen solchen Ort kannten die Griechen nicht. Was sie aber mit Paulus verbindet, ist der Gedanke, daß Freiheit zum wahren Wesen des Menschen gehört. Sie ist nach Epiktet etwas „Großes, Bedeutendes und Edles“. Sie wird nach ihm gewonnen durch philosophische „Einübung“, also durch einen Akt der Selbstbefreiung; nach Paulus dagegen ist sie Geschenk Gottes durch Christus im Pneuma. Aber es gibt auch nach Paulus eine Einübung in die gewährte Freiheit, nämlich in der Ertötung der „Werke des Fleisches“ und in der täglichen Umsetzung des Indikativs in den Imperativ, besonders in der Liebe. Auch der soziale Aspekt fehlt in der griechischen Freiheitsidee.

3. Gnosis[110]

a) Der Freiheitsgedanke der Gnostiker lebt von einem gesteigerten Entfremdungskomplex des Menschen[111]. Der Gnostiker erkennt das Woher seines innersten Seins: Sein eigentliches

[110] Vgl. dazu *F. Mußner*, ΖΩΗ. Die Anschauung vom „Leben“ im vierten Evangelium unter Berücksichtigung der Johannesbriefe (München 1952) 36–47; *E. Peterson*, Die Befreiung Adams aus der ἀνάγκη, in: Frühkirche, Judentum und Gnosis (Freiburg i. Br. 1959) 107–128; *H. Schlier*, Der Mensch im Gnostizismus, in: Besinnung auf das NT (Freiburg i. Br. 1964) 97–111; *W. Schmithals*, Die Gnosis in Korinth (Eine Untersuchung zu den Korintherbriefen) (Göttingen ²1965) 206–232; *Niederwimmer*, Der Begriff der Freiheit im NT 54–68; *ders.*, Die Freiheit des Gnostikers nach dem Philippusevangelium. Eine Untersuchung zum Thema: Kirche und Gnosis, in: Verborum Veritas (Festschr. f. G. Stählin) (Wuppertal 1970) 361–374.

[111] *Niederwimmer* bemerkt sehr gut: „Gnosis entsteht *wesentlich* nicht durch ‚Ideenwanderung‘ und Ideenverbindung, sondern sie entsteht, wenn der Mensch

„Selbst“ stammt nicht von dieser Welt, sondern aus dem transzendenten Lichtreich, dem „Pleroma“. Die Welt, in der er sich vorfindet, ist deshalb für ihn eine fremde Welt und er selbst darin ein „Fremder“. Das gnostische „Selbst“[112] ist ὑπερκόσμιος φύσει... φύσει τοῦ κόσμου ξένος[113]. Nach der mandäischen Gnosis kommt der Erlöser als „der Fremde aus den Lichtwelten“ in den finsteren Kosmos[114]. Das Gefühl des Fremdseins paart sich mit jenem, in der Welt wie in einem Gefängnis zu leben, wobei zur „Welt“ auch der Leib und die Psyche gehören; und deshalb auch mit dem Gefühl einer existentiellen „Schizophrenie“, da das menschliche Wesen aus fremdartigen, ja feindlich entgegengesetzten Teilen besteht[115]. Erlösung bedeutet deshalb Befreiung aus der fatalen „Mischung“ mit der Materie, Befreiung von den kosmischen Mächten, Befreiung aus dem Zwang des Schicksals, Befreiung vom Bann der Weltenräume durch „Rückkehr“ in das himmlische Lichtreich. Befreiung ist deshalb restitutio in integrum, Wiederherstellung der ursprünglichen Einheit des transzendenten Pleromas. Insofern ist sie ein eschatologischer Vorgang, aber im strengen Sinn einer radikalen Apokatastasis der ursprünglichen Zustände. Freiheit ist die wiedergewonnene Heimat des Pleromas.

b) Die Gnosis als die Erkenntnis der wahren Zusammen-

---

eine bestimmte Erfahrung seiner selbst gemacht hat, wenn das Bewußtsein reif geworden ist, die Tiefe der Entfremdung zum Ausdruck zu bringen“ (Begriff der Freiheit im NT 56, Anm. 156).

112 Vgl. zu seiner Geschichte *R. Reitzenstein*, Die hellenistischen Mysterienreligionen (Leipzig – Berlin ³1927) 403–417; *E. Schweizer* in: ThWb VI, 390ff.

113 *Clemens Alex.*, Strom. IV, 165, 3f (zit. bei *Niederwimmer* 58, Anm. 161).

114 Rechtes Ginza 181/2f *Lidzbarski.*

115 So besteht z.B. nach valentinischer Gnosis der Mensch aus τρία ὄντα: τὸ ὑλικόν, τὸ ψυχικόν, τὸ πνευματικόν (*Irenäus*, Adv. haer. I, 6, 1). Die dadurch gegebene innere Zerrissenheit des Menschen schildert etwa der Naassenerpsalm (*Hippolyt*, Refut. V, 10, 2).

hänge des Daseins vermittelt jenen, die sie besitzen, schon im irdischen Leben das Gefühl einer besonderen Freiheit. Ja, „die Erkenntnis ist Freiheit" (Philippus-Evangelium, Spr. 123). Das „Erkennen" wird zur Macht, da sich im Prozeß der Gnosis das Fremdgefühl des Menschen zu einem eigentümlichen Selbstgefühl wandelt: Weil der Gnostiker weiß, woher er ist und was er ist und wohin er geht, darum hat er die Bedingtheiten der Welt durchschaut und gewinnt so das Bewußtsein einer „akosmischen Freiheit" (H. Jonas)[116], in der er steht. „Freiheit" bedeutet also hier ein Stehen über der Welt, aber in völlig anderem Sinn als etwa in der Stoa, bei Epikur und Epiktet. Deshalb kann der Gnostiker sprechen (Oden Sal. 17,3):

„Ich bin befreit worden von den Eitelkeiten und bin nicht verurteilt.

Meine Fesseln sind durch ihn [den Erlöser] zerrissen worden."

Die Demonstration solchen Freiheitsbewußtseins geschieht entweder in strenger Askese oder in ethischem Libertinismus („alles ist mir erlaubt!") und mangelnder Rücksichtnahme auf den anderen Menschen, der noch nicht zur Gnosis gelangt ist, d.h. im Fehlen der Agape. Dieser Libertinismus äußert sich konsequenterweise auch als Antinomismus, da jeglicher Nomos ja Ausdruck dieser Welt ist, die der Gnostiker doch schon hinter sich gelassen hat. „Daher tun dann auch die Vollkommensten von ihnen alles Verbotene ohne Scheu ... Andere dienen maßlos den Lüsten des Fleisches und sagen, man müsse das Fleisch dem Fleische, den Geist dem Geiste darbringen."[117] Die ethischen Werte werden allzuleicht zu Adiaphora. Die Freiheit muß ausgekostet werden!

---

[116] Gnosis und spätantiker Geist I (Göttingen 1934) 179.
[117] *Irenäus,* Adv. haer. I, 6,3.

c) Möglicherweise hatte Paulus in Korinth mit gnostischen Freiheitsschwärmern zu tun[118]. Auffällig aber ist, daß er seine Freiheitstheologie primär nicht in den Briefen an die Korinther entwickelt, sondern im Brief an die Galater. Daraus geht hervor, daß er in den Umtrieben seiner „judaistischen" Gegner, die nach unserer Auffassung nichts mit der Gnosis zu tun hatten[119], eine viel stärkere Gefährdung der Freiheit, zu der uns Christus befreit hat, sah als durch die „Pneumatiker" in Korinth. Daher kommt es auch, daß der Apostel seine Freiheitslehre in erster Linie vor dem Hintergrund der Gesetzesfrage entwickelt. Aber gerade damit hängt andererseits zusammen, daß er die Bewährung der Freiheit im sittlichen Imperativ so stark betont, da die Freiheit nicht „zum Anlaß für das Fleisch" genommen werden darf (vgl. Gal 5,13). Hier liegt jedoch auch der Berührungspunkt mit der „Gnosis in Korinth" und mit der gnostischen Weltanschauung überhaupt. Auch der Gnostiker glaubt befreit zu sein von einem Gesetz, nämlich vom Weltgesetz, unter das er aber auch das Gesetz im biblisch-jüdischen Sinne subsumiert. Aber weil der Gnostiker das Gesetz als Weltgesetz versteht, durch das er in die Materie und in den Kosmos verstrickt ist, ist sein Verständnis der Freiheit der Erlösten vom Gesetz ein anderes als das des Apostels Paulus, der die dualistische Weltanschauung der Gnostiker nicht teilt. Die Dialektik der paulinischen Freiheitstheologie hat andere Voraussetzungen als die Freiheitsidee der Gnostiker, die die Erfahrungen der Menschheit aufgrund eines umfassenden „kosmischen" Erlösungsmythus deuteten, in dem auch die Freiheit eine andere Funktion hat als im paulinischen Denken. Für Paulus ist Freiheit nicht Freiheit vom Kosmos,

---

[118] Vgl. dazu W. *Schmithals*, Die Gnosis in Korinth, passim (bes. 206–232). Zur Kritik an Schmithals' Auffassungen vgl. etwa *R. Haardt*, Gnosis und NT, in: Bibel und zeitgemäßer Glaube II (NT) (Klosterneuburg 1967) 131–158 (135–137).
[119] Vgl. zur Gegnerfrage im Galaterbrief *Mußner*, Galaterbrief 11–29.

sondern Freiheit von der Sünde, die mit Hilfe des Gesetzes den Menschen in den Tod brachte, aus dessen Herrschaft ihn Christus mit Seele und Leib befreit, aber nicht bloß den Menschen, sondern am Ende auch den Kosmos. Davon weiß die Gnosis nichts; das ist gegen ihren Freiheitsbegriff und Freiheitsmythus.

IX.
Freiheit und Zukunft; Zukunft und Freiheit [120]

In der Freiheit, zu der uns Christus befreit hat, zeigt sich nach paulinischem Verständnis die Zukunft an, die absolute Zukunft, und darum ist diese Zukunft wesentlich Freiheit.

1. Freiheit als heils- und offenbarungsgeschichtlicher Prozeß

Jener Befreiungsprozeß, der zur endgültigen Freiheit in der absoluten Zukunft Gottes führen wird, ist durch Christus schon in Gang gebracht, da er den Menschen „zur Freiheit befreit hat"

[120] *Literatur: K. Rahner,* Theologie der Freiheit, in: Schriften zur Theologie VI, 215–237; *ders.*, Marxistische Utopie und christliche Zukunft des Menschen, ebd. 77–88; *J. B. Metz,* Freiheit als philosophisch-theologisches Grenzproblem, in: Gott in Welt (Festgabe f. K. Rahner) I (Freiburg 1964) 287–314; *ders.*, Art. Freiheit (III. Theologisch) in: Handbuch theol. Grundbegriffe I (München 1962) 403–414 (Lit.); *W. Kreck,* Die Zukunft des Gekommenen. Grundprobleme der Eschatologie (München 1961); *J. Moltmann,* Theologie der Hoffnung (München ^{7}1968); *ders.*, Die Kategorie *Novum* in der christlichen Theologie, in: Ernst Bloch zu ehren (Frankfurt 1965) 243–263; *J. B. Metz,* Gott vor uns: ebd. 227–241; *G. Sauter,* Zukunft und Verheißung. Das Problem der Zukunft in der gegenwärtigen theologischen und philosophischen Diskussion (Zürich/Stuttgart 1965); *E. Böhler,* Die Zukunft als Problem des modernen Menschen (Sammlung Rombach) (Freiburg 1966); *J. Moltmann,* Die Revolution der Freiheit, in: EvTh 27 (1967) 595–616; *A. Edmaier,* Horizonte der Hoffnung (Regensburg 1968); *R. Schnackenburg,* Der Christ und die Zukunft der Welt, in: Christliche Existenz nach dem NT II (München 1968) 149–185; Mißachten die Christen die Zukunft?, in: Herder-Kor-

(Gal 5,1). Diese Befreiungstat setzt voraus, daß der Mensch zuerst in der Unfreiheit war, und dies wiederum, daß zum Menschen Freiheit gehört. Freiheit gehört zum Sein des Menschen. „Sie ist nicht bloß die Qualität eines zuweilen in Vollzug gesetzten Aktes und dessen Vermögens, sondern eine transzendentale Auszeichnung des Menschseins selber" (K. Rahner)[121]. Aber die Freiheit des Menschen ist kreatürliche Freiheit[122]; denn das letzte Ziel des Menschen ist diesem gesetzt und eröffnet sich ihm von sich her. Außerdem ist auch das „Material" der menschlichen Freiheitsbetätigung dem Menschen vorgegeben, allein schon durch seine Existenz in Zeit und Raum. Mensch und Welt sind grundsätzlich kontingent. „Freiheit ist freie Antwort in Ja oder Nein zu Notwendigkeit und erfährt daran nochmals ihre Kreatürlichkeit" (ders.)[123]. Die Situation, die der Mensch vorfindet, ist zudem nach biblischer und christlicher Überzeugung unausweichlich von der Unheilssituation der Welt („Erbsünde") und von der persönlichen Schuld des einzelnen mitbestimmt.

Wie die Offenbarungsgeschichte zeigt, verfällt der Mensch im Gebrauch der ihm wesentlich zugehörenden Freiheit der Selbstentfremdung, wie sie vom Apostel in Röm 7 so eindringlich beschrieben wird. Deshalb ist die Freiheit, zu der uns Christus befreit hat, *befreite Freiheit*. „Die Geschichte der Erfahrung der Freiheit mit Gott ist also ... Heils- und Offenbarungsgeschichte ..." (Rahner)[124]. Nachdem die Freiheit des

---

respondenz 22 (1968) 297–301; *N. Schiffers*, Befreiung zur Freiheit (Regensburg 1971) 9–26; *J. Möller*, „Befreiung von Entfremdung" als Kritik am christlichen Erlösungsglauben, in: *L. Scheffczyk* (Hrsg.), Erlösung und Emanzipation (QD 61) (Freiburg i. Br. 1973) 102–119; *J. B. Metz*, Erlösung und Emanzipation: ebd. 120–140.

[121] Schriften zur Theologie VI, 222.

[122] Vgl. dazu *Rahner*, ebd. 232–237.

[123] Ebd. 223. [124] Ebd. 236.

Menschen „hinein in die Unmittelbarkeit zur Seinsfreiheit Gottes selbst" befreit ist und endgültig befreit werden soll, verwirklicht sich die Freiheit des Menschen nicht neben dem heils- und offenbarungsgeschichtlichen Prozeß, sondern in ihm. *Die Befreiung der Freiheit ist selbst der Prozeß der Heilsgeschichte,* der in die absolute Zukunft und Freiheit Gottes führt.

2. *Das Woher und Wohin der Freiheit*

Faßt man bei der paulinischen Verwendung des Verbums ἐλευθεροῦν die Tempora ins Auge, so begegnet zweimal das Partizip Aorist Passiv ἐλευθερωθέντες (Röm 6,18.22), zweimal der aktive Indikativ des Aorists ἠλευθέρωσεν (Röm 8,2; Gal 5,1) und einmal das passive Futur ἐλευθερωθήσεται (Röm 8,21). Eine ausdrückliche Zeitbestimmung findet sich in Röm 6,12 (*νυνὶ* δὲ ἐλευθερωθέντες). Das ist wichtig; denn die Zeitbestimmung „jetzt" läßt in Zusammenschau mit dem in die eschatologische Zukunft weisenden Futur ἐλευθερωθήσεται von Röm 8,21 jene Spannung erkennen, die auch sonst für die neutestamentliche Eschatologie kennzeichnend ist: die Spannung zwischen Heilsgegenwart und Heilszukunft. Die Gegenwart, das νῦν, ist dabei keine „zeitlose" Zeit, sondern hat ihren Anfang in dem heilsgeschichtlichen Ereignis, das mit dem Aorist ἠλευθέρωσεν zur Sprache gebracht ist: in der Befreiungstat Christi bzw. des Pneumas, also in einem heilsgeschichtlichen Ereignis. Die Befreiung der Freiheit hat einen festgelegten und festlegbaren Anfang, der nicht das schließliche Ergebnis eines langen Entwicklungsprozesses, vergleichbar einem Mutationssprung in der Evolution, ist, sondern die freie Gnadentat Gottes in Christus, durch die der Prozeß der Befreiung der Freiheit radikal und prinzipiell in Gang gesetzt wurde, bis er seine eschatologische Vollendung in der absoluten Zukunft Gottes finden wird. Dann werden nach Röm 8,20ff die Kinder Gottes und die Schöpfung endgültig „befreit" sein. Das passive Futur ἐλευθερωθήσεται in 8,21 läßt dabei wiederum erkennen, daß auch diese kommende Befreiung absolutes Gnadengeschenk Gottes sein wird. Das eigentliche Ziel der eschatologischen Befreiungstat liegt jenseits des innerweltlich-menschlich-politisch-sozial Erreichbaren; denn dieses Ziel ist die Befreiung der ganzen Schöpfung von dem Verhängnis des Todes und der Endlichkeit. Das eigentliche Befreiungsziel ist also absolut geschichtstranszendent und den eigenen Möglichkeiten des Menschen entzogen: negativ als Überwindung der Todesmacht, positiv als die Verleihung von „Herrlichkeit".

Wenn dem nach der Lehre der Offenbarung auch so ist, so bedeutet das jedoch nicht, daß die Spannung zwischen Gegenwart (begonnen durch eine zeitlich fixierbare Heilstat Gottes) und Zukunft in der Befreiung der Freiheit rein statisch verstanden werden dürfte: zu Beginn die Tat Gottes in den Heilsfakten Tod und Auferstehung Jesu, dort, in der Zukunft, die kommende Befreiung der ganzen Schöpfung am Ende der Zeiten. Vielmehr ist durch die Befreiungstat Christi für die Welt ein dynamischer Prozeß eingeleitet worden, der unaufhaltsam ist und die Geschichte selbst in seine Dynamik hineinreißen will. Die Befreiung der Freiheit bezieht sich ja nach Röm 8 schließlich auf die ganze Schöpfung. Dann entstehen aber wichtige Fragen, die nicht leicht zu beantworten sind: Darf die griechische Freiheitsidee als praeparatio evangelii hinsichtlich der christlichen Freiheitsidee gesehen werden? Darf auch die marxistische Freiheitsidee, die sich auf die Aufhebung der „Selbstentfremdung" des Proletariers bezieht, indem man ihn zu einem menschenwürdigen Dasein führen will – so wenigstens nach der marxistischen Theorie[125] –, in irgendeinen Zusammenhang mit der eschatologischen Befreiung der Freiheit gebracht werden? Und schließlich: Darf auch die evolutive Befreiung des Menschen, von der etwa Teilhard de Chardin geträumt hat[126], als eine Stufe zur endgültigen Befreiung der Freiheit begriffen werden? Die evolutive Selbsttranszendenz des Lebens tendiert, jedenfalls in ihrer Spitze, im Menschen, auf Befreiung und Freiheit hin[127]. Hat selbst die Christologie in einem evolutiven Weltbild Platz[128], dann notwendigerweise auch die christliche Freiheitsidee. Die gnadenhafte Befreiung der Freiheit durch Christus ist schöpfungshaft in der Kreatur schon angelegt: gratia praesupponit naturam ... Das alles bedeutet: die eschatologische Befreiung der Freiheit durch Christus ist trotz ihres absoluten Gnadencharakters nichts der Schöpfung Wesensfremdes, ihr „von außen" als etwas vollkommen Neues Hinzugetanes, sondern das, was Gott dem Menschen und der Schöpfung schon immer zugedacht hat und woraufhin sie angelegt sind. Diese Freiheit ist in dieser Zeit gewiß noch eine vielfältig gehemmte: „Wir wissen, daß die ganze Schöpfung mitseufzt und mit in Wehen liegt bis jetzt; aber nicht nur sie, sondern auch wir selbst, die wir die Erstlingsgabe des Geistes besitzen, auch wir selbst seufzen in unserem Innern, indem wir die Sohnschaft

---

[125] Vgl. dazu etwa *I. Fetscher*, Die Freiheit im Lichte des Marxismus – Leninismus ([4]1964); *ders.*, Liberaler, demokratischer und marxistischer Freiheitsbegriff, in: Karl Marx und der Marxismus (München 1967) 33–44. Dazu auch noch *K. Rahner*, Marxistische Utopie und christliche Zukunft des Menschen, in: Schriften zur Theologie VI, 77–88.

[126] Vgl. dazu etwa *H. Mynarek*, Der Mensch – Sinnziel der Weltentwicklung (Paderborn 1967) (besonders 279–326: „Die Freiheit des Menschen – Sinnziel der Weltentwicklung").

[127] Vgl. auch *K. Rahner*, Vom Geheimnis des Lebens, in: Schriften zur Theologie VI, 171–184.

[128] Vgl. *K. Rahner*, Die Christologie innerhalb einer evolutiven Weltanschauung, in: Schriften zur Theologie V (Einsiedeln/Zürich/Köln 1962) 183–221.

erwarten, die Erlösung unseres Leibes" (Röm 8,22f). Der Tod setzt aller innerweltlichen Freiheitshoffnung eine unüberschreitbare Grenze.

3. *Zukunft als Freiheit*

Christentum ist Religion der Zukunft, und zwar der absoluten Zukunft. „Absolute Zukunft" ist aber „nur ein anderer Name für das, was mit ‚Gott' eigentlich gemeint ist" (Rahner)[129]. Die absolute Zukunft ist der „Gott vor uns" (J. B. Metz) und „der tragende Grund der Zukunftsdynamik" (Rahner) der Welt und ihrer Geschichte. Wenn Christus uns zur Freiheit befreit hat, dann hat sich darin also der „Gott vor uns" angemeldet, der Mensch und Schöpfung in die Freiheit führen will, und der Satz aus Gal 5,1: „Christus hat uns zur Freiheit befreit", läßt schon die Zukunft als Freiheit erkennen. Auch in dem eschatologischen Futur ἐλευθερωθήσεται von Röm 8,21 ist die Zukunft als Freiheit gesehen, und sowohl im vorausgehenden Kontext (V. 20) wie auch im nachfolgenden (V. 24) ist ausdrücklich von der „Hoffnung" auf diese Zukunft die Rede. Es bleibt freilich die Frage, ob die Hoffnung der Menschheit, wie sie etwa in E. Blochs Hauptwerk „Das Prinzip Hoffnung" zur Sprache kommt, und die Hoffnung „der Kinder Gottes", von der in Röm 8 die Rede ist, dieselbe ist. Die Zukunft als Freiheit, wie sie der Apostel sieht, ist primär endgültige Befreiung des Menschen und der Schöpfung vom Todesschicksal und dem Los der Endlichkeit; an ihnen scheitert jegliche „utopische" Schau der Zukunft und überhaupt jede innerweltliche „Ontologie des

[129] Schriften zur Theologie VI, 78–80.

Noch-Nicht"[130], da nach Bloch selbst der Tod „die stärkste Nicht-Utopie" der Welt ist[131]. Am Tod scheitert jeder innerweltliche Versuch, die neue Schöpfung schon in diesem Äon herzustellen. Deshalb ist und bleibt der Tod die eigentliche ἀφορμή des Evangeliums! Dennoch berechtigt die christliche Hoffnung auf die Zukunft als Freiheit nicht bloß dazu, die Welt als großes Laboratorium vielfältiger Freiheitsgestaltung zu verstehen, sondern verpflichtet dazu, die Welt schon soweit wie möglich an der eschatologischen Zukunft als der Zukunft der Freiheit teilnehmen zu lassen[132]. Wenn z.B. der Apostel in Gal 3,28 sagt, daß bei den Getauften „nicht Jude noch Grieche, nicht Sklave oder Freier, nicht Mann und Frau" mehr gilt, so hat das auch politische und soziale Konsequenzen und Implikationen. Denn damit sind freiheitliche Demokratie und soziale Gerechtigkeit, die ja den Menschen zur irdischen Freiheit führen wollen, theologisch fundiert. Grundsätzlich formuliert: Die Veränderung der Welt im Sinn ihrer Versetzung in die vorläufige Freiheit ist auch Sache und Pflicht der Christen. Ihre eschatologische Hoffnung setzt sich in geschichtliches Handeln um[133]. „Nie dürfte ... solche Hoffnung unsere Welt als eine Art vorgefertigtes ... Wartezimmer erscheinen lassen, in dem man desengagiert und gelangweilt – je hoffender, um so gelangweilter –

[130] Vgl. zur Analyse der Blochschen Ontologie des Noch-Nicht bes. *G. Sauter*, Zukunft und Verheißung 295–306.

[131] Das Prinzip Hoffnung (Wissenschaftliche Sonderausgabe, Frankfurt 1967) 1297 1386; dazu *F. Mußner*, Die Auferstehung Jesu (München 1969) 89–100.

[132] *J. Moltmann* formuliert den Sachverhalt so: „Zukünftige Freiheit ist nach paulinischer Dialektik ‚jetzt schon' wirksam, aber ‚noch nicht' universale Wirklichkeit. Freiheit wird wie Gerechtigkeit im Glauben schon ergriffen und in der Hoffnung zugleich noch erwartet. Sie ist eine unendliche Forderung an die endliche Gegenwart und eine immer erst endliche Gegenwart einer unendlichen Zukunft" (Die Revolution der Freiheit, in: EvTh 27 [1967] 613).

[133] Vgl. auch *F. Mußner*, Christ und Welt nach dem NT, in: PRAESENTIA SALUTIS 268–283 (bes. 275f 280–283).

herumzusitzen hätte, bis die Tür zum Sprechzimmer Gottes aufgeht. Für solche Hoffnung zeigt sich die Welt nie als ein Fixum, das in einem von sich aus leeren Zeitraum sich ‚in abgeschlossenen Totalitäten' (Bloch) beliebig wiederholt, sondern als eine entstehende, *auf die Zukunft Gottes hin entstehende Welt*, für deren Prozeß die Hoffenden in Verantwortung stehen" (Metz)[134]. Freilich wird und muß der Christ eine Zukunft, die rein innerweltlich als die absolute Zukunft verstanden werden will, als utopische Ideologie ablehnen[135]. Denn er weiß einmal um das Scheitern jeder Zukunftsutopie am Tod, und er weiß zudem um das Geheimnis der Freiheit, das in der Geschichte als jenes Element wirkt, das eine menschliche Zukunftsplanung mit dem Anspruch auf Endgültigkeit unmöglich und illusionär macht[136]. Der Christ weiß außerdem um die Gefährdungen und Gefahren der Freiheit, die ihr gerade von dort her erwachsen

---

[134] Gott vor uns 241.

[135] Vgl. auch *K. Rahner*, in: Schriften zur Theologie VI, 82.

[136] Vgl. auch *J. Pieper*, Hoffnung und Geschichte (München 1967). Nach *Hegel* ist die Weltgeschichte „der Fortschritt im Bewußtsein der Freiheit" (Die Vernunft in der Geschichte; hrsg. von *J. Hoffmeister* [Hamburg ^{5}1955] 63); aber Hegel war sich auch bewußt, daß „diese Freiheit, wie sie angegeben worden, selbst noch unbestimmt oder daß sie ein unendlich vieldeutiges Wort ist, daß sie, indem sie das Höchste ist, unendlich viele Mißverständnisse, Verwirrungen, Irrtümer mit sich führt und alle möglichen Ausschweifungen in sich begreift, dies ist etwas, was man nie besser gewußt und erfahren hat als in jetziger Zeit" (ebd.). Wie wir schon im Vorwort zu dieser QD bemerkt haben, ist es nicht so sicher, daß die Geschichte wirklich Freiheitsgeschichte ist; sie könnte ebenso Unfreiheitsgeschichte sein, wenn wir auf die weltweite Verbreitung von Unfreiheit, besonders im politischen Raum, denken. Sollte jener Amerikaner etwa recht bekommen, der bemerkt hat, die Welt könne nur noch durch Terror gerettet werden?! Jedenfalls muß ständig dem Satz „Die Geschichte ist Freiheitsgeschichte" der andere dialektisch entgegengesetzt werden: „Die Geschichte ist Unfreiheitsgeschichte". Wenn „die absolute Bedarfsdeckung" (E. Bloch) der „Endzweck" der Geschichte ist, von dem Hegel redete, dann ist die Endgeschichte der Freiheit nur noch die „Apotheose der Banalität" (J. B. Metz). Viele scheinen sich allerdings mit diesem „Endzweck" zufriedenzugeben.

können, wo die Befreiung der Freiheit zum politischen Programm totaler Bewegungen und Ideologien gemacht wird. Er weiß aus der eigenen Erfahrung wie aus der Offenbarung und ihrer Bestätigung durch die geschichtliche Erfahrung um jene „Mächte und Gewalten", die den freien Menschen in die völlige Versklavung führen und aus der Welt ein Zuchthaus machen können. Er weiß aus der Bibel um den „Antichrist", den großen Feind jener Freiheit, zu der Christus die Welt befreit hat und befreien will[137]. Dieses ganze Wissen macht das Freiheitsbewußtsein des Christen nüchtern und illusionsfrei; es schafft eine kritische Distanz zu allen Versuchen einer innerweltlichen „Vollendung" der Geschichte. Und deshalb lauten die christlichen Voten zum Problem der Zukunft doch anders als jene der utopischen Ideologien[138]. Der Christ setzt seine eigentliche Hoffnung auf jene Freiheit, die die absolute Zukunft Gottes, die jenseits des geschichtlichen Horizontes liegt, von ihrem Wesen her ist. Er hofft und weiß, daß Gott die ganze Schöpfung zur Freiheit der Herrlichkeit der Kinder Gottes führen wird (Röm 8,20f). Die Zukunft als Freiheit liegt in der Hand des Gottes vor uns, der allein den Tod zu überwinden vermag und ihn nach 1 Kor 15,26 als „letzten Feind" überwinden wird.

Der „Endzweck" christlicher Freiheitsgeschichte ist das συνεσθίειν aller Heilsgenossen mit dem Menschensohn (vgl. Mk 14,25 = Mt 26,29). Das impliziert absolute Gemeinschaft, absolute Freude, absolute Liebe in einem absolut herrschaftsfreien Raum jenseits aller Todesgrenzen.

---

[137] Vgl. dazu *Ph. Dessauer*, Die Politik des Antichrist, in: Wort und Wahrheit 6 (1951) 405–415; *H. Schlier*, Vom Antichrist, in: Die Zeit der Kirche (Freiburg i. Br. 1956) 16–29; *F. Mußner*, Was lehrt Jesus über das Ende der Welt? (Freiburg i. Br. ²1964) 41–47.

[138] Vgl. weiteres dazu bei *U. Hommes/J. Ratzinger*, Das Heil des Menschen. Innerweltlich-Christlich (München 1975).

X.
Lehrfreiheit?

Der Apostel Paulus zeigte sich als der große Verkünder der Freiheit, zu der uns Christus befreit hat. Im Hinblick auf bestimmte Tendenzen in der Theologie unserer Zeit, aber auch im Hinblick auf den „Pluralismus" der theologischen „Entwürfe" im Neuen Testament selbst sei darum jetzt die Frage gestellt: Kennt Paulus in Sachen der Verkündigung eine Lehrfreiheit? Man könnte zunächst ja annehmen: Für den großen Theologen der Freiheit müßte Lehrfreiheit eine Selbstverständlichkeit sein. Unter „Lehrfreiheit" verstehen wir dabei jene Freiheit, nach der das Christusereignis und das Heilsgeschehen in ihm zwar nicht x-beliebig ausgelegt werden, wohl aber so, daß verschiedene „Lehrentwürfe" über verschiedene „Verkündigungsschemata" (etwa in der Auslegung des „Ur-Credo" von 1 Kor 15,3–5) gleichberechtigt nebeneinanderstehen können. Es geht also um die Legitimität des theologischen „Pluralismus" in der Kirche. Das Problem ist kein geringes, wie die gegenwärtige Situation der Kirche und der Theologie zeigt. Daß es einen Pluralismus in Theologie und Verkündigung geben muß, wird niemand bezweifeln[139]. Die Frage, die die Geister beschäftigt, ist dabei

[139] Darauf hat vor allem *K. Rahner* oft in seinem Schrifttum hingewiesen; vgl. *K. H. Neufeld*, Rahner-Register (Zürich/Einsiedeln/Köln 1974) s. v. Pluralismus. Vgl. auch noch *H. U. von Balthasar*, Die Wahrheit ist symphonisch. Aspekte des christlichen Pluralismus (Einsiedeln 1972); *J. Ratzinger* (Hrsg.), Die Einheit des Glaubens und der theologische Pluralismus (Einsiedeln 1973).

diese: Wie weit darf dieser gehen? Wo liegen seine Grenzen? Gibt es für ihn überhaupt Grenzen? Diese Fragen sollen im folgenden von Paulus her, dem Lehrer der Freiheit, beantwortet werden, wenn wir uns dabei auch auf kurze Hinweise beschränken müssen. Hilfreich und aufschlußreich sind dafür vor allem der Galaterbrief und der erste Korintherbrief.

Paulus kämpfte nach dem Galaterbrief für „die Wahrheit des Evangeliums". Er bemerkt in Gal 2, 5, er habe seinerzeit in Jerusalem seinen Gegnern, von ihm als „Falschbrüder" bezeichnet, auch nicht einen Augenblick nachgegeben, „damit die Wahrheit des Evangeliums bei euch sich durchhalte". Und nach Gal 2, 14 hat Paulus den „Felsenmann" Petrus „vor allen" (das heißt wohl vor versammelter Gemeinde) zur Rede gestellt, weil er Petrus und Barnabas „nicht auf geraden Wegen auf die Wahrheit des Evangeliums zugehen" sah[140]. Die Wahrheit des Evangeliums liegt für den Apostel in der durchgehaltenen Konsequenz desselben, kurz gesagt: in der Logik des Evangeliums. Diese „Logik" hat nach dem Galaterbrief mit dem „Evangelium des Christus" zu tun, das Paulus verkündet, neben dem es kein „anderes Evangelium" gibt (vgl. 1, 6 f). Vielleicht war der Begriff „anderes Evangelium" ein Schlagwort seiner Gegner in den galatischen Gemeinden. Vielleicht sagten sie zu den Galatern: Wir verkünden euch „ein anderes Evangelium", als euch Paulus verkündet hat; wir verkünden euch das wahre Evangelium, das auf dem Glauben an den Messias Jesus in Verbindung mit gesetzlichem Leben beruht. Dieses „andere", angeblich wahre „Evangelium" seiner Gegner weist Paulus mit aller Schärfe zurück. Es „gibt kein anderes" (1, 6), und selbst „wenn wir [Paulus oder Barnabas und sonst einer ihrer Mitarbeiter] oder [gar] ein Bote vom Himmel ein Evangelium verkündeten im Gegensatz zu dem, das wir

---

[140] Vgl. Näheres zu den beiden Stellen bei *Mußner*, Galaterbrief 107–111 143–146.

euch verkündet haben, verflucht soll er sein!" (1,8); und er fährt fort: „Wie wir schon früher gesagt haben, so sage ich auch jetzt wieder: Wenn euch jemand ein Evangelium verkündet im Gegensatz zu dem, das ihr empfangen habt, verflucht soll er sein!" (1,9.)

Mit diesem zweimaligen Anathem über jene, die ein „anderes Evangelium" zu verkündigen suchen, läßt Paulus mit aller wünschenswerten Deutlichkeit erkennen, daß es für ihn in Sachen des Evangeliums keine „Lehrfreiheit" gibt. Was er unter dem „Evangelium" versteht, das von ihm verkündigt worden ist und das er von keinem Menschen empfangen hat, sondern durch unmittelbare „Offenbarung Jesu Christi" (vgl. dazu Gal 1,11f), ergibt sich aus dem Galater- und Römerbrief klar: Es ist das Kerygma, daß das eschatologische Heil *ausschließlich* aus dem Glauben an den gekreuzigten und auferstandenen Christus kommt. Eine christliche Verkündigung eines anderen Heilsweges, etwa über des Gesetzes Werke oder über die Verehrung der „Weltelemente", ist für Paulus Falschlehre[141]. In dem im „Evangelium" vorgelegten Kerygma und den hinter ihm stehenden Heilsdaten Tod und Auferstehung Jesu gründet aber für den Apostel die christliche Freiheit. Nach dem Apostel verhindert also das im Kerygma zum Sprachereignis gewordene Heilsgeschehen selbst eine auf unbeschränkten „Pluralismus" hintendierende „Lehrfreiheit". Die Lehrfreiheit in der Kirche hat ihre Grenzen am Kerygma selbst, und dieses ist für den Apostel nicht mehrdeutig und beliebig formulierbar, sondern ist für ihn formuliert in der auch von ihm „übernommenen" Paradosisfor-

[141] *W. Bauer* verharmlost in seinem bekannten Werk „Rechtgläubigkeit und Ketzerei im ältesten Christentum" (Tübingen ²1964) die Bedeutung gerade des Galaterbriefes für das Thema seines Buches. Für den Paulus des Galaterbriefes gibt es das Phänomen der Häresie durchaus und auch das apostolische „Anathem" gegen sie. Dies sollte man nicht übersehen.

mel von 1 Kor 15, 3–5: „Christus starb für unsere Sünden gemäß den Schriften, und er wurde begraben, und er ist auferweckt worden am dritten Tag gemäß den Schriften, und er erschien dem Kephas, hierauf den Zwölfen."[142] In der christlichen Gemeinde von Korinth gab es „einige", die da sagten: „Eine Auferstehung von den Toten gibt es nicht!" (1 Kor 15, 12.) Ihnen hält der Apostel entgegen: „Wenn es eine Auferstehung der Toten (grundsätzlich) nicht gibt, ist auch Christus nicht auferweckt worden" (15, 13): Die Formulierung Χριστὸς ἐγήγερται nimmt überdeutlich dieselbe Formulierung aus dem „Ur-Credo" von 1 Kor 15, 3–5 auf. Und er fährt fort: „Wenn aber Christus nicht auferweckt worden ist, ist folglich sinnlos unsere Verkündigung, sinnlos auch euer Glaube" (15, 14). Auch gegenüber dem Ur-Credo gibt es nach dem Apostel keine „Lehrfreiheit", vielmehr ist das Credo die bleibende norma normans des Glaubens, die keine x-beliebige Auslegung der Glaubensüberlieferung zuläßt.

Der auferweckte Christus ist für den Apostel nach 1 Kor 15, 45 „der letzte Adam", „der Endmensch", durch den „der letzte Feind" der Menschheit, der Tod, vernichtet wird (15, 26). In dieser eschatologischen Befreiungstat, deren Beginn in der Auferweckung Jesu von den Toten liegt, gründet für Paulus die christliche Freiheit, wie wir gesehen haben. Auch hier ist es also die Thematik der christlichen Freiheit selbst, die eine falsch verstandene Lehrfreiheit und einen unumschränkten „Pluralismus" in der Kirche verhindert. Dies sollte man deutlich sehen, bevor man im Namen der christlichen Freiheit das Evangelium selbst in Frage zu stellen versucht. Lehrfreiheit impliziert im paulini-

---

142 Vgl. zur alten Credoformel von 1 Kor 15 *J. Kremer*, Das älteste Zeugnis von der Auferstehung Christi (SBS 17) (Stuttgart 1966); *K. Lehmann*, Auferweckt am dritten Tag nach der Schrift (QD 38) (Freiburg i. Br. ²1969); *F. Mußner*, Zur stilistischen und semantischen Struktur der Formel von 1 Kor 15, 3–5 (erscheint in der Festschrift für H. Schürmann).

schen Sinn Parrhesie (vgl. V, 5), d.h. den Mut, einer Welt des Todes öffentlich jenen zu verkünden, über den der Tod keine Gewalt mehr hat (Röm 6, 9). Lehrfreiheit verkündet im paulinischen Sinn gerade christliche Freiheit und tut das gegen die Unfreiheitstendenzen jeder Epoche. Unfreiheitstendenzen zeigen sich aber nicht bloß in der Welt, sondern auch in der Kirche. Christliche Lehrfreiheit wird im Namen des Befreiers Christus solche Tendenzen entlarven und den Menschen immer wieder zu jener Freiheit rufen, zu der uns Christus befreit hat. Das erfordert Parrhesie: Mut und Verantwortungsbewußtsein. Und solche Parrhesie ist vor allem auch in den ökumenischen Überlegungen am Platz, wie unser letzter Abschnitt zeigen möchte.

XI.
Christliche Freiheit und kirchliche Einheit

1. Paulus hat seine Freiheitstheologie auch entwickelt im Widerstand gegen den „Felsenmann" Petrus (Gal 2,11). Davon sollte man nicht absehen, wenn man im ökumenischen Gespräch von christlicher Freiheit redet. Die Heilige Schrift hat „überzeitlichen" Charakter, und so kann man jene berühmt-berüchtigte Szene, die sich um das Jahr 50 n. Chr. herum in Antiochien in Syrien abgespielt hat, nicht als ein einmaliges, „vergangenes" Ereignis betrachten, wie das manchmal in der Auslegung geschehen ist[143]. Selbstverständlich wird die Weise dieses „Widerstandes" je und je eine andere sein und sein müssen. Jedenfalls begannen die Reformatoren ihr Werk der Kirchenreform auch im Namen der Freiheit, zu der uns Christus befreit hat. Sie empfanden vieles, was mit der konkreten Verwirklichung des Petrusamtes im Papsttum zu ihrer Zeit zusammenhing, als gegen das Wesen der christlichen Freiheit und „die Wahrheit des Evangeliums" gerichtet. Christliche Freiheit war für sie, wie für Paulus, durch „die Wahrheit des Evangeliums" selbst gegeben, das keine menschliche Instanz als Richter des Wortes Gottes duldet[144]. Dies von vornherein als „Revolution" gegen die Kir-

---

[143] Vgl. zur Geschichte der Auslegung von Gal 2,11–14 *Mußner*, Galaterbrief 146–167.

[144] Vgl. Vaticanum II, Konstitution über die Göttliche Offenbarung („Dei Verbum") II, 10: „Das Lehramt ist nicht über dem Wort Gottes, sondern dient ihm ..."; dazu noch *W. Kasper*, Dogma unter dem Wort Gottes (Mainz 1965).

che und ihre Überlieferung zu bezeichnen, wäre verkehrt. Katholische Kirche und katholische Theologie müssen tief erschüttert sein über den Ernst und die Leidenschaft, mit der die Männer der Reformation für die Freiheit des Christenmenschen im Namen des Evangeliums kämpften. Im ökumenischen Gespräch der Gegenwart spitzt sich die Fragestellung erfreulicherweise immer mehr auf das nicht mehr länger zu umgehende Thema „Papsttum und Petrusdienst" zu[145]. Denn im Papsttum, so wie es sich historisch entwickelt hat, wird von den von Rom getrennten Kirchen der eigentliche Hemmschuh in Sachen „Wiedervereinigung" und „Aussöhnung" gesehen. Dafür muß der Katholik Verständnis haben, und die ökumenische Theologie muß intensiv nachdenken, was hier getan werden könnte. Es gibt hier erfreulicherweise beachtliche Ansätze, besonders im amerikanischen Raum[146].

Es ist vor allem die Aufgabe gestellt, das neutestamentliche Bild des Petrusamtes mit jenem des Papsttums, wie es sich vor allem im I. Vaticanum kondensiert hat, kritisch zu vergleichen. Das vorher erwähnte Buch „Papsttum und Petrusdienst" ver-

---

[145] Vgl. etwa *H. Stirnimann/L. Vischer* (Hrsg.) Papsttum und Petrusdienst (= Ökumenische Perspektiven, Nr. 7) (Frankfurt 1975); *A. Brandenburg*, Kirchliches Amt, Petrusdienst und Ökumene. Ansätze einer Konvergenz zwischen lutherischen und katholischen Christen, in: StdZ 100 (1975) 613–623; *H.-J. Mund* (Hrsg.), Das Petrusamt in der gegenwärtigen Diskussion (Paderborn 1976).

[146] Vgl. dazu den Bericht der offiziellen lutherisch/römisch-katholischen Dialoggruppe in den USA vom Mai 1974, abgedruckt in dem in Anm. 145 genannten Werk, 91–140. Die lutherische Dialoggruppe bittet am Ende ihrer Überlegungen über Papsttum und Petrusdienst „unsere Kirchen, sich ernsthaft die Frage zu stellen, ob nicht die Zeit für eine neue Einstellung gegenüber dem Papsttum gekommen ist ‚umb Friedens und gemeiner Einigkeit willen' und noch mehr um eines vereinten Zeugnisses von Christus in der Welt willen. Unsere lutherische Lehre über die Kirche und das Amt zwingt uns zu der Überzeugung, daß eine Anerkennung des päpstlichen Primats in dem Maße möglich ist, in dem ein erneuertes Papsttum wirklich die Treue dem Evangelium gegenüber fördert und in rechter Weise eine petrinische Funktion in der Kirche ausübt" (ebd. 126f).

mittelt dazu ausgezeichnete Impulse. Das II. Vaticanum selbst relativierte durch die Aufwertung des Bischofsamtes die absolute Stellung des Papstes in der Kirche, ohne daß deswegen das Dogma von 1870 in Frage gestellt worden wäre. Andererseits zeigt ein redaktionsgeschichtliches Studium des Neuen Testaments gerade eine eigenartige Aufwertung der Petrusgestalt und des Petrusamtes nach dem Tod des Petrus[147], so daß sowohl die orthodoxen Kirchen als auch die Kirchen der Reformation von der Schrift selber her zur Besinnung auf die Existenz eines Petrusamtes in der Kirche aufgerufen sind. Ob eine Synthese von Petrusdienst und Papsttum möglich ist? Uns scheint sie möglich zu sein, wenn von beiden Seiten gehorsam auf die Stimme der Schrift gehört wird und in diesem Hören bei allen Kirchen zugleich das Prinzip der christlichen Freiheit zur Geltung kommt.

2. Das II. Vaticanum vermittelt noch andere wichtige Impulse zur Verwirklichung der christlichen Freiheit im kirchlichen Raum im Dienst der Einheit der getrennten Christen. Es seien hier folgende Punkte als Beispiele genannt: die Abschaffung des Index verbotener Bücher; die Schaffung einer internationalen Bischofskonferenz, die regelmäßig in Rom zusammentritt; damit zusammenhängend die laufende Reform der römischen Kurie; die Liturgiereform mit ihrer Zulassung der Muttersprache im ganzen liturgischen Bereich und der Kelchkommunion; neue Missionstheologie und damit zusammenhängend neue Missionspraxis; der Abbau falscher Uniformitätsideale; Abbau überholter Herrschaftsstrukturen durch Schaffung „demokratischer“ Einrichtungen in der Kirche wie eines „Rätesystems“ (Seelsorgsrat, Priesterrat, Pfarrgemeinderat usw.). Alles das sind

[147] Das wird der Verfasser dieser Quaestio demnächst in einer eigenen Arbeit zeigen, die in derselben Reihe erscheinen wird. Vgl. auch noch *R. E. Brown/K. P. Dornfried/J. Reumann* (Hrsg.), Peter in the New Testament. A Collaborative Assessment by Protestant and Roman Catholic Scholars (Minneapolis ²1974).

Zeichen von Verwirklichung christlicher Freiheit im Raum der Kirche. Kirchenreform im Zeichen christlicher Freiheit dient zweifellos in besonderem Maße der Realisierung kirchlicher Einheit. Ohne Verwirklichung der christlichen Freiheit keine kirchliche Einheit! Die paulinische Freiheitslehre ist so auch in dieser Hinsicht von besonderer Aktualität und zugleich eine wichtige Hilfe.

Literatur

Eine Auswahl

H. Schlier in: ThWb II, 484–500 (Lit.); *E. G. Gulin*, Die Freiheit in der Verkündigung des Paulus, in: ZSTh 18 (1941) 458–481; *St. Lyonnet*, Liberté chrétienne et loi de l'Esprit selon S. Paul, in: Christus I (Rom 1954) 6–27; *M. Pohlenz*, Griechische Freiheit. Wesen und Werden eines Lebensideals (Heidelberg 1955); *H. Schlier*, Über das vollkommene Gesetz der Freiheit, in: Die Zeit der Kirche (Freiburg i. Br. 1972) 193–206; *R. Bultmann*, Theologie des NT (Tübingen [3]1958) 332–353; *ders.*, Gnade und Freiheit, in: Glauben und Verstehen II (Tübingen 1952) 149–161; *ders.*, Die Bedeutung des Gedankens der Freiheit für die abendländische Kultur, ebd. 274–293; *W. Pannenberg*, Christlicher Glaube und menschliche Freiheit, in: KuD 4 (1958) 251–280; *C. Spicq*, La Liberté selon le NT, in: Sc. Ecclés. 12 (1960) 229–240; *I. Hermann*, Kyrios und Pneuma (Stud. zum Alten und Neuen Testament II) (München 1961) 106–111; *C. H. Dodd*, Das Gesetz der Freiheit. Glaube und Gehorsam nach dem Zeugnis des NT (deutsch München 1960); *W. Joest*, Gesetz und Freiheit. Zum Problem der tertius usus legis bei Luther und die ntl. Parainese (Göttingen [3]1961); *G. Richter*, Freiheit, in: Hdb. theol. Grundbegriffe I, 398–403; *P. Bläser*, Freiheit, in: LThK[2] IV, 329–331; *E. Fuchs*, Freiheit (I. Im NT), in: RGG[3] II, 1101–1104; *J. Cambier*, La Liberté chrétienne selon S. Paul, in: Stud. Evang. II (Berlin 1964) 315–353; *R. N. Longenecker*, Paul, Apostle of Liberty (New York 1964); *H. Vorster*, Das Freiheitsverständnis bei Thomas von Aquin und Martin Luther (Göttingen 1965); *K. Niederwimmer*, Der Begriff der Freiheit im NT (Theol. Bibl. Töpelmann 11) (Berlin 1966); *B. Schüller*, Gesetz und Freiheit. Eine moraltheologische Untersuchung (Düsseldorf 1966); *D. Nestle*, Eleutheria I (Die Griechen) (Tübingen 1967; mit umfassender Literatur); *J. Moltmann*, Die Revolution der Freiheit, in: EvTh 27 (1967) 595–616; *E. Käsemann*, Der Ruf der Freiheit (Tübingen [5]1972); *R. Schnackenburg*, Christliche Freiheit nach Paulus, in: Christliche Existenz nach dem Neuen Testament II (München 1968) 33–49; *H. Schlier*, Zur Freiheit berufen. Das paulinische Freiheitsverständnis: GuL 43 (1970) 421–436; *J. Blank*, Das Evangelium als Garantie der Freiheit (Würzburg 1970); *H. Schürmann*, Die Freiheitsbotschaft des Paulus – Mitte des Evangeliums?, in: Cath 25 (1971) 22–62 (Lit.); *A. Sand*, Gesetz und Freiheit: ThGl 61 (1971) 1–14; *R. Schnackenburg*, Befreiung nach Paulus im heutigen Fragehorizont, in: *L. Scheffczyk* (Hrsg.), Erlösung und Emanzipation (QD 61) (Freiburg i. Br. 1973) 51–68; *W. Beinert*, Gott – der Grund unserer Freiheit. Eine dogmatische Besinnung, in: MThZ 26 (1975) 141–158 (weitere Literatur); *O. Wanke*, Glaubensgehorsam und menschliche Freiheit, in: *H. Roßmann/J. Ratzinger* (Hrsg.), Mysterium der Gnade (Festschr. f. J. Auer) (Regensburg 1975) 119–131.

Vom gleichen Autor ist erschienen:

FRANZ MUSSNER

Der Galaterbrief

Dieser theologische Kommentar zum Galaterbrief ist in zweifacher Hinsicht von besonderer Bedeutung: Er ist einmal der erste streng wissenschaftliche katholische Kommentar deutscher Sprache in unserem Jahrhundert zum Galaterbrief, der neben dem Römerbrief als der wichtigste Paulus-Brief anzusehen ist. In umfassender Weise sind in diesem Werk neben den Forschungsergebnissen der letzten Jahrzehnte die neuen Erkenntnisse des Verfassers selbst und anderer Forscher eingearbeitet. Weiterhin führt dieser Kommentar zu einem Neuverständnis des Galaterbriefes, das ihm endlich seinen „antijüdischen Stachel" nimmt.
Franz Mußner hat auch diesen Kommentarband, ähnlich wie seinen Jakobuskommentar in der gleichen Kommentarreihe, bewußt in den Dienst des ökumenischen Gesprächs mit der evangelischen Theologie (Rechtfertigungslehre) und dem Judentum (Gesetzesverständnis) gestellt.

Herders theologischer Kommentar zum Neuen Testament, Band IX,
2. Auflage 1974, Großoktav, XXII und 426 Seiten, Leinen.
ISBN 3-451-16765-4

Verlag Herder Freiburg · Basel · Wien

Franz Mußner:
Wohnung Gottes und Menschensohn nach der Stephanusperikope

in:

Jesus und der Menschensohn

Für Anton Vögtle

Herausgegeben von Rudolf Pesch und Rudolf Schnackenburg in Zusammenarbeit mit Odilo A. Kaiser.

Mit Beiträgen von: C. K. Barrett, M. Black, I. Broer, A. Deissler, J. Gnilka, E. Gräßer, F. Hahn, A. J. B. Higgins, O. Kaiser, K. Kertelge, W. G. Kümmel, K. Lehmann, E. Lohse, K. Müller, F. Mußner, R. Pesch, J. Riedl, E. Ruckstuhl, R. Schnackenburg, G. Schneider, H. Schürmann, E. Schweizer, S. S. Smalley, P. Weimar, U. Wilckens.

In diesem Professor Anton Vögtle zur Vollendung seines 65. Lebensjahres von Freunden und Kollegen gewidmeten Werk haben 25 namhafte Theologen sich die Aufgabe gestellt, ein wesentliches Anliegen der Forschungsarbeit des Jubilars, den biblischen Begriff des „Menschensohns", zu reflektieren. In einem weitgespannten Bogen untersuchen sie diesen Terminus, ausgehend vom Daniel-Buch im Alten Testament über die außerbiblische jüdische Literatur bis zum Neuen Testament – hier vor allem im Blick auf die Verwendung des Menschensohntitels durch Jesus selbst und die Traditionsgeschichte der Menschensohn-Logien.
Damit ist ein richtungweisendes Werk zu diesem Thema gelungen, das wegen seiner zentralen Bedeutung für unser Wissen vom Selbstverständnis Jesu ein Kernthema der heutigen theologischen, vor allem exegetischen Forschung ist, deren Auswirkungen bis in die konkrete Verkündigung hineinreichen.

488 Seiten, gebunden, ISBN 3-451-17232-1

Verlag Herder Freiburg · Basel · Wien